Le changement organisationnel

THÉORIE ET PRATIQUE

PRESSES DE L'UNIVERSITÉ DU QUÉBEC
2875, boul. Laurier, Sainte-Foy (Québec) G1V 2M3
Téléphone : (418) 657-4399
Télécopieur : (418) 657-2096
Catalogue sur Internet : http://www.uquebec.ca/puq

Distribution :

DISTRIBUTION DE LIVRES UNIVERS S.E.N.C.
845, rue Marie-Victorin, Saint-Nicolas (Québec) G7A 3S8
Téléphone : (418) 831-7474 / 1-800-859-7474
Télécopieur : (418) 831-4021

Le changement organisationnel

THÉORIE ET PRATIQUE

PIERRE COLLERETTE
GILLES DELISLE
RICHARD PERRON

1997

Presses de l'Université du Québec
2875, boul. Laurier, Sainte-Foy (Québec) G1V 2M3

Données de catalogage avant publication (Canada)

Collerette, Pierre, 1951-

Le changement organisationnel : théorie et pratique

Comprend des réf. bibliogr.

ISBN 2-7605-0908-7

1. Changement organisationnel. I. Delisle, Gilles.
II. Perron, Richard. III. Titre

HD58.8.C635 1997 658.4'06 C97-941007-X

Les Presses de l'Université du Québec remercient le Conseil des arts du Canada
et le Programme d'aide au développement de l'industrie de l'édition du Patrimoine canadien
pour l'aide accordée à leur programme de publication.

Mise en pages : CARECTÉRA PRODUCTION GRAPHIQUE

Conception de la couverture : PRESSES DE L'UNIVERSITÉ DU QUÉBEC / RH

1 2 3 4 5 6 7 8 9 PUQ 1997 9 8 7 6 5 4 3 2 **1**

Dépôt légal – 3e trimestre 1997
Bibliothèque nationale du Québec / Bibliothèque nationale du Canada
Imprimé au Canada

TABLE DES MATIÈRES

LISTE DES FIGURES

INTRODUCTION

La première édition de cet ouvrage est parue en 1982. Il semble avoir répondu à un besoin puisque, année après année, il a intéressé un nombre constant de lecteurs. Toutefois, notre pensée a évolué au fil des ans, et nous avons cru utile d'apporter des modifications pour proposer aux lecteurs une édition révisée. Pour ce faire, nous nous sommes associé un troisième collaborateur, Richard Perron.

Si, dans l'ensemble, la structure de l'ouvrage est restée la même, certaines sections ont été réécrites, d'autres ont été ajoutées, et d'autres retranchées. En outre, le titre a été modifié pour mieux exprimer l'objet de l'ouvrage. Cependant, les mêmes intentions sont poursuivies, à savoir offrir aux lecteurs une vision synthétique et pratique des enjeux du changement dans une organisation. Deux raisons rendent un tel ouvrage utile. Premièrement, notre société depuis plusieurs années fourmille de personnes, de groupes, d'organismes qui, à divers titres et à différents niveaux, tentent d'introduire des changements. En fait, nous vivons dans un monde qui nous expose presque quotidiennement à toutes sortes d'intentions de changement, que ce soit sur le plan technologique, social, politique, structural, personnel. Malheureusement, de nombreuses observations tirées de notre pratique comme intervenants nous ont amenés à constater que trop souvent les gens qui conduisent de telles entreprises de changement sont peu aptes à le faire, bien qu'étant de bonne foi. Aussi, avons-nous voulu concevoir un outil qui puisse aider ceux qui se sont donné ou se sont vu confier la mission de procéder à des changements, ne serait-ce que pour éviter à certains d'être les victimes de tentatives malheureuses. Deuxièmement, notre expérience de l'enseignement en milieu universitaire nous a fait constater la rareté des publications en français sur le thème du changement organisationnel. Si on peut recenser un bon nombre d'écrits sur la nature des changements à introduire dans la société, on trouve cependant peu de matériel sur la phénoménologie du changement et les méthodologies à utiliser. Nous avons donc voulu rédiger un ouvrage en français qui puisse servir de point de départ pour ceux qui projettent un changement ou qui sont déjà engagés dans un tel projet.

Par son intention et sa conception, cet ouvrage est d'abord et avant tout une introduction aux concepts et à la pratique du changement, par opposition à un discours qui porterait sur les changements qui seraient souhaitables dans un système donné.

Dans cet esprit, les pages qui suivent tenteront d'éclairer le lecteur sur les différents processus qui se produisent lorsqu'on tente d'introduire des changements à l'intérieur d'un système organisationnel. L'attention ne sera donc pas dirigée vers les contenus des différents projets de changement, mais plutôt sur les mécanismes ou les phénomènes qui risquent d'émerger dans toute situation où l'on tente d'introduire un changement. Ce choix nous amènera à présenter des méthodologies de nature à faciliter le changement.

Il faut bien noter que notre intention n'est pas de présenter des techniques miracles. Nous sommes convaincus qu'il n'existe pas de technique qui, *a priori*, soit bonne ou mauvaise ou qui, automatiquement, conduise au succès. Toute technique doit être choisie et adaptée en fonction des différentes analyses qu'on fait de la situation. Par conséquent, il serait illusoire de vouloir présenter une suite de techniques qui s'apparenteraient à une recette. Par ailleurs, nous souhaitons réussir à doter le lecteur d'un modèle d'analyse qui lui permette de devenir plus habile à concevoir, préparer et exécuter des projets de changement qui soient à la fois satisfaisants et efficaces.

La vision sur laquelle nous nous sommes appuyés tout au long de notre démarche est celle de la psychosociologie, d'inspiration nord-américaine entre autres. Cette approche a ceci de particulier qu'elle tente d'isoler et de décrire les phénomènes psychologiques et sociaux qui se manifestent dans les groupes, quels que soient les contenus idéologiques en cause.

C'est sous l'influence de cette approche que nous utilisons souvent dans le texte l'expression « système social » comme synonyme de système organisationnel pour désigner les environnements ou les groupes de personnes touchés par des projets de changement. Provisoirement, nous nous contenterons de dire qu'un système social est un ensemble de personnes qui partagent un minimum de liens interractionnels, d'une intensité et d'une durée suffisantes pour que se crée une dynamique relationnelle observable. Présentés de cette façon, les divers types d'organisations que l'on trouve dans notre environnement apparaissent comme des systèmes sociaux. Une définition plus rigoureuse sera proposée au chapitre 1.

Cette formulation est volontairement large, afin de mieux embrasser les divers types d'organisations à l'intérieur desquelles on peut étudier les mécanismes et les effets des changements. Il peut s'agir autant d'entreprises privées, d'organismes publics que d'associations volontaires.

Profitons-en aussi pour clarifier immédiatement une autre expression qui sera souvent utilisée dans le texte, celle d'« agent de changement ». Par « agent de changement », nous entendons toute personne qui agit consciemment dans un environnement en vue d'y introduire un changement.

En résumé, cet ouvrage se veut à la fois un guide méthodologique et une source d'information pour l'individu qui s'intéresse au changement : un guide méthodologique, en ce sens qu'il présente des instruments permettant d'élaborer des scénarios de changement ; une source d'information, en ce sens qu'il fournit un mode de compréhension de la phénoménologie du changement dans les systèmes sociaux.

Ceux qui possèdent déjà une certaine expérience sur le terrain dans l'introduction de changements pourront consulter un autre ouvrage[1] qui fournit de façon systématique des instruments, des grilles d'analyse et d'évaluation ainsi que des outils de décision pour gérer l'introduction de changements.

En guise d'aide-mémoire et de guide méthodologique, la plupart des chapitres sont accompagnés de quelques questions susceptibles d'aider le lecteur à faire un usage pratique du matériel présenté.

---

1. Pierre COLLERETTE et Robert SCHNEIDER, *Le pilotage du changement, une approche stratégique et pratique*, Presses de l'Université du Québec, 1996.

CHAPITRE 1

L'ANALYSE SYSTÉMIQUE

Les agents de changement sont appelés à intervenir auprès d'individus, de groupes, d'organisations. Bien que chacune de ces entités soit de taille différente et appelle souvent des modalités d'intervention différentes, il serait avantageux de disposer d'une grille d'analyse qui soit généralisable, de telle sorte qu'elle puisse s'appliquer aussi bien à un individu qu'à un groupe, une organisation ou une petite collectivité.

Pour qu'un modèle puisse s'appliquer à des ordres de grandeur aussi éloignés les uns des autres, il faudrait qu'il soit d'un niveau d'abstraction relativement élevé. Le caractère abstrait de ce modèle constituerait à la fois sa force et sa faiblesse. Sa force serait de nous permettre d'utiliser la même grille et donc de pouvoir nous familiariser avec elle afin de comprendre la dynamique interne et externe de ces cibles d'intervention. Sa faiblesse résiderait dans le fait que le modèle nécessiterait beaucoup de traductions, beaucoup de gymnastique mentale pour nous permettre d'accéder au niveau concret de l'action. C'est le cas de l'analyse systémique.

L'analyse systémique nous vient des sciences pures et a commencé à être utilisée en sciences sociales il y a quelques décennies[1]. Il s'agit d'un modèle théorique assez complexe, mais pour les besoins de notre présentation, nous réduirons ses concepts à leur plus simple expression.

Il ne s'agit pas pour nous d'utiliser l'analyse systémique comme instrument de diagnostic appliqué ; il s'agit plutôt de développer chez l'agent de changement une sorte de radar systémique, qui lui ferait appréhender spontanément les interactions dynamiques à l'intérieur du système sur lequel il agit, ainsi que les principaux phénomènes qui se révéleront tout au long de l'intervention.

Nous proposons donc de recourir au modèle systémique comme à une grille de référence qui nous permettra d'avoir une perception cohérente des environnements à l'intérieur desquels nous agissons.

1.1. Le système et les sous-systèmes

Dans les conversations quotidiennes, nous sommes habitués d'entendre le mot « système » appliqué à toutes sortes d'objets et de situations. Pour notre part, nous définissons le système comme étant « un ensemble plus ou moins complexe de parties qui sont en interaction entre elles, lequel ensemble est en contact avec un environnement ».

Le système est une notion abstraite qui permet de cerner une partie de la réalité pour mieux la comprendre. La notion de système peut s'appliquer autant à des objets abstraits que concrets. Un exemple d'application à un objet concret serait de considérer un groupe de personnes comme un système (système-groupe). Un exemple d'application à une réalité abstraite serait de considérer le climat dans une organisation comme un système (système-climat).

Notons que le découpage d'une réalité en systèmes constitue une opération arbitraire, exécutée par celui qui s'intéresse à cette réalité. Ainsi, on ne peut pas dire que tel élément du réel est un système. Cependant, un intervenant peut décider de considérer cet élément comme un système pour en faciliter l'étude.

Les différentes parties d'un système constituent à leur tour des systèmes, qu'on appellera des « sous-systèmes ». De la même façon, le système étudié constitue généralement lui-même un sous-système d'un système plus vaste. Ainsi, chaque système serait sous-système d'un système plus vaste et en

---

1. Le sociologue américain Talcot Parsons a été l'un des premiers à utiliser l'analyse systémique en sciences sociales. Pour plus de détails, *cf. Talcot Parsons et la sociologie américaine* de Guy Rocher, P.U.F. 1972.

même temps engloberait un certain nombre de sous-systèmes, qui eux-mêmes contiendraient d'autres sous-systèmes, et ainsi de suite en allant vers le microscopique ou le macroscopique (figure 1.1).

L'être humain représente un merveilleux exemple de système. Si l'on considère son corps comme un système, on reconnaîtra rapidement qu'il constitue un élément du système humain, qui à son tour s'inscrit dans le système animal. Dans l'autre direction, le corps est composé de plusieurs

FIGURE 1.1
La représentation symbolique d'un système et des sous-systèmes

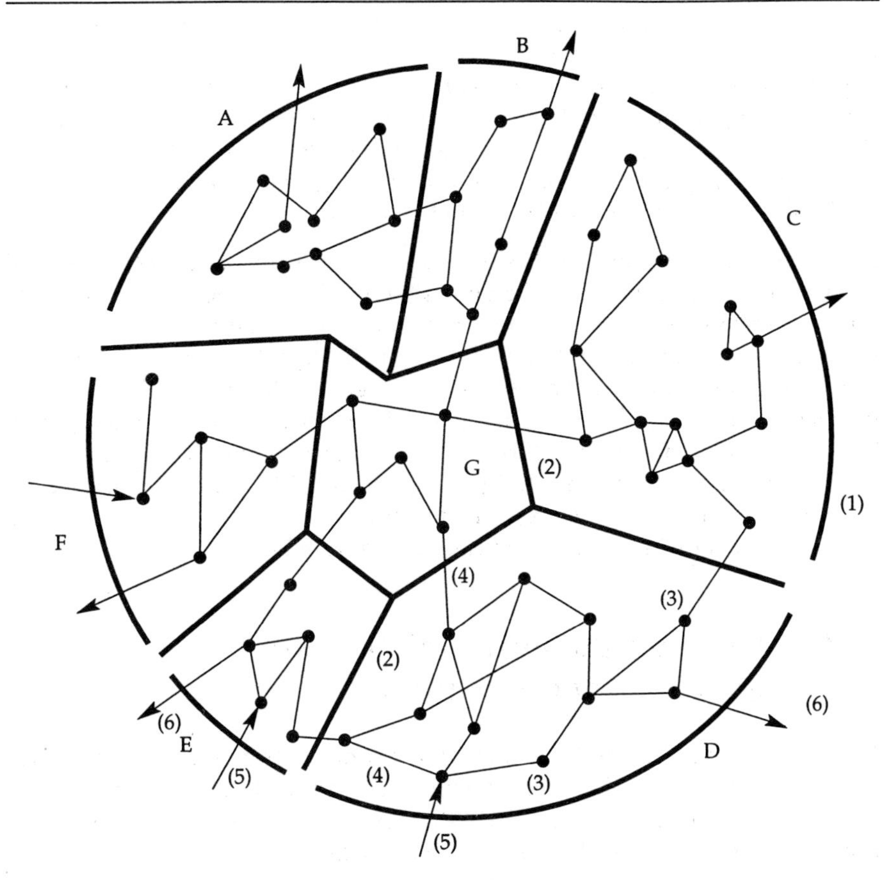

(1) Frontière du système
(2) Frontières des sous-systèmes
(3) Éléments d'un sous-système
(4) Relations
(5) Intrants
(6) Extrants

A, B, C, D, E, F, G = Sous-systèmes

sous-systèmes biologiques qui sont les systèmes respiratoire, sanguin, musculaire, etc. Chacun de ceux-ci contient d'autres sous-systèmes, comme par exemple les poumons, la trachée, etc., en allant jusqu'aux micro-organismes. Ici, on a considéré l'être humain comme système biologique. On aurait pu faire des opérations analogues en le considérant comme système psychologique, ou comme système socioculturel. Le type d'opération serait resté le même, ce sont les sous-systèmes qui auraient changé.

Dans la définition présentée précédemment, il a été dit que les différentes parties (sous-systèmes) d'un système sont en relation entre elles. C'est là un aspect important de la théorie des systèmes. En effet, on considère que les sous-systèmes d'un système donné sont en interaction entre eux, et par conséquent s'influencent mutuellement. Le système n'illustre donc pas une réalité statique mais dynamique, comme c'est le cas du corps humain. On appellera « effets systémiques » les effets de ces influences mutuelles. On appellera « liens systémiques » les rapports entre les différents sous-systèmes, et selon la qualité de ces rapports, on jugera de la force des liens systémiques. Par exemple, on sait que dans le corps humain les liens systémiques entre les systèmes circulatoire et musculaire sont assez forts, alors qu'ils sont assez faibles entre les systèmes respiratoire et osseux.

En somme, le modèle systémique nous permet d'aborder la réalité sociale en la considérant comme un système et ainsi de demeurer conscient que le système social est non seulement une scène dynamique, mais doit être considéré comme étant composé d'une foule d'éléments. Pour la personne qui s'intéresse au changement, le modèle systémique l'oblige à ne pas voir les situations comme des pièces isolées et facilement maniables, mais bien comme une mosaïque complexe d'éléments en interdépendance les uns avec les autres. Par voie de conséquence, on doit présumer qu'en modifiant un des éléments on risque en même temps de toucher tout un réseau d'interactions pour aboutir à une nouvelle mosaïque.

1.2. Les composantes d'un système et son fonctionnement

Les principales composantes d'un système sont : la frontière, les intrants, les extrants, le processus de transformation, le feed-back, la perception de la mission, l'enveloppe de maintien. On peut représenter ces composantes d'un système dans une illustration comme celle de la figure 1.2.

1.2.1. La frontière du système

La frontière d'un système a toujours un caractère quelque peu arbitraire ou artificiel. En effet, c'est celui qui procède à l'analyse qui choisit de tracer la

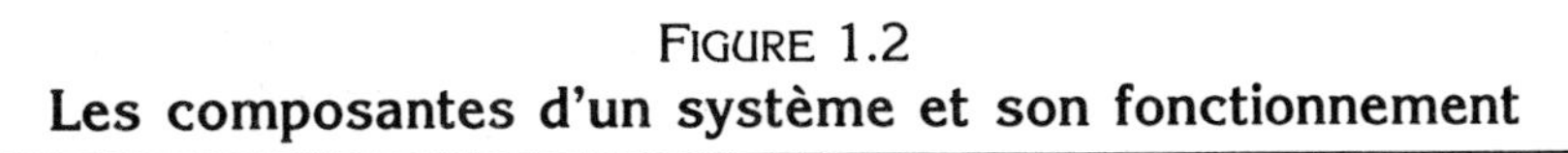

FIGURE 1.2
Les composantes d'un système et son fonctionnement

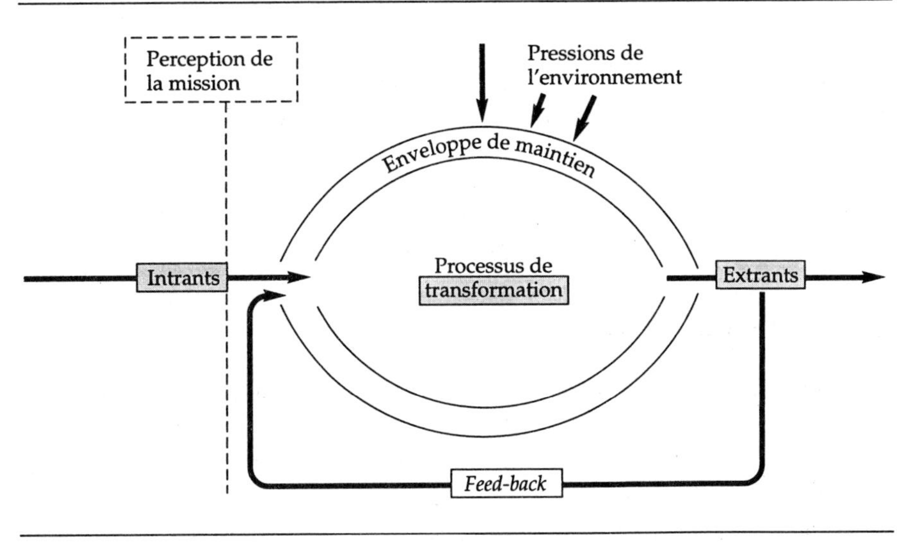

frontière là où il la trace. Ce faisant, il se trouve à isoler un certain nombre d'interactions et c'est sur celles-ci, à l'intérieur de la frontière, que va porter son analyse. Si la frontière est correctement tracée par rapport à l'objet de l'analyse, on devrait constater qu'il existe une quantité et une qualité d'interactions supérieures entre les éléments à l'intérieur de la frontière, qu'entre des éléments situés à l'intérieur et d'autres situés à l'extérieur de la frontière. Dans le cas d'une équipe de quatre conseillers en formation, si nous voulions examiner la dynamique interne du système, nous tracerions la frontière autour des quatre personnes constituant l'équipe. Nous devrions constater que ces quatre personnes, par rapport à un objet particulier, interagissent beaucoup entre elles, et à un niveau d'intensité élevé, en comparaison avec les interactions qu'elles entretiennent avec d'autres membres d'un grand groupe, le service du personnel par exemple.

La frontière est donc intimement liée à la nature du système. On pourra également noter que la frontière n'est pas hermétique, mais perméable. Dans la figure 1.2, on a symbolisé cette perméabilité par deux ouvertures aux extrémités de la bulle, lesquelles ouvertures suggèrent que des intrants entrent dans le système et que des extrants en sortent.

1.2.2. La perception de la mission

La mission d'un système correspond à sa raison d'être dans l'environnement. La perception de la mission est la compréhension que les membres du système ont de sa raison d'être. Nous utilisons à dessein l'expression

« perception », car il est vraisemblable qu'il puisse y avoir un écart entre la mission réelle et celle perçue par les membres du système. Dans la réalité quotidienne, c'est la mission « perçue » qui conditionne le fonctionnement des systèmes.

Ainsi, c'est la perception de la mission qui permettra au système, bombardé d'informations de toutes sortes, de choisir certaines d'entre elles pour les intégrer dans son processus de transformation et d'en rejeter d'autres. En d'autres termes, c'est à partir de la perception qu'il a de sa mission qu'un système décide des extrants qu'il veut produire, et par conséquent choisit ses intrants (y compris les *feed-back*).

1.2.3. Les intrants

Pour qu'un système puisse vivre, il doit pouvoir tirer de son environnement les éléments essentiels à sa survie et à l'accomplissement de sa mission. C'est le cas des systèmes biologiques, qui doivent s'approvisionner en oxygène, en aliments et en liquides afin de se maintenir en vie.

On appelle « intrants » (*input*) ces éléments qui entrent dans le système. Les intrants peuvent être de toute nature, de toute qualité et de toute quantité.

Si on s'intéressait à un système « service à la clientèle », on trouverait sûrement parmi les intrants significatifs les ressources humaines, les ressources matérielles, les ressources financières, l'information, le temps, l'énergie, les objectifs poursuivis.

1.2.4. Les extrants

Les « extrants » (*output*) sont les résultats ou les effets que le système génère dans son environnement. Qu'il s'agisse de produits, de biens, de services, concrets ou abstraits, ce sont les résultats qui sont issus du système, tant en quantité qu'en qualité, et qui sont habituellement observables, évaluables. Dans le cas du système « service à la clientèle », les extrants seraient les produits et services mis à la disposition des clients.

1.2.5. Le processus de transformation

Pour que les intrants puissent produire des extrants, il faut qu'ils soient traités par le système : c'est le processus de transformation. Le corps humain transforme les aliments en calories, qui seront utilisées immédiatement ou emmagasinées. Pour produire des extrants conformes à la mission poursuivie par le système, celui-ci doit transformer les intrants d'une façon particulière. Le processus de transformation est donc caractérisé par un certain nombre d'activités plus ou moins coordonnées, plus ou moins standardisées, conçues de façon à produire les extrants désirés. Il va de soi que ce processus de transformation ne peut s'opérer sans qu'une certaine quantité d'énergie ne soit disponible et consommée.

Selon que les intrants ou le processus de transformation seront adéquats, le système réussira à produire ou non les extrants désirés.

Dans l'exemple du système « service à la clientèle », on trouverait dans le processus de transformation des rencontres entre les intervenants, des activités de rédaction de documents, des lectures, des études et analyses, des actions particulières, enfin toute une gamme d'activités qui ont pour but de produire les extrants recherchés, en conformité avec la mission du système.

1.2.6. Le *feed-back*

Imaginons que, placé devant une cible avec un arc et des flèches en main, les yeux bandés, je tente d'en toucher le centre. J'ai cinq flèches à tirer. Je tire mes cinq flèches sans avoir aucune information sur la zone qu'elles atteignent. Il est fort probable que ma performance sera mauvaise. Imaginons au contraire que, toujours les yeux bandés, je tire une première flèche et que quelqu'un me dise où elle s'est posée, par exemple que j'ai tiré deux pieds à gauche de la cible. Je pourrai alors ajuster le prochain geste pour améliorer mon tir, et ainsi de suite. Dans cette situation, on peut présumer que mes performances suivantes seront supérieures à la première.

La personne qui m'informe de la conséquence de ma production (ici le tir d'une flèche) symbolise la fonction de *feed-back*. Le *feed-back*, ou la « rétroaction de l'information », est ce mécanisme d'autorégulation dont les systèmes disposent pour évaluer les extrants qu'ils produisent afin de faire les ajustements nécessaires. Le *feed-back* peut révéler que les extrants ne sont pas conformes à la mission que s'est donnée le système, que ce soit en quantité, en qualité ou en nature, ou encore que les extrants sont conformes à la mission, mais qu'ils sont mal reçus dans l'environnement ou encore qu'ils produisent des effets secondaires indésirés.

Quoi qu'il en soit de ces significations, le *feed-back* fournira au système des informations qui l'aideront à ajuster son fonctionnement (processus de transformation) ou ses intrants (dont la mission).

Il faut noter que le *feed-back*, lorsqu'il est reçu par le système, constitue en quelque sorte un nouvel intrant.

Dans l'exemple du « service à la clientèle », les *feed-back* pourraient informer que le système a produit moins de services que prévu ou encore a produit d'autres effets que ceux escomptés. Ce sont là autant d'informations qui permettront de faire un examen du système pour le corriger en fonction des extrants recherchés.

1.2.7. L'enveloppe de maintien

L'enveloppe de maintien a pour fonction de protéger le système contre des intrants et des *feed-back* indésirables provenant de l'environnement. Cette enveloppe de maintien consomme évidemment une certaine quantité de l'énergie du système. Cette énergie ne sera alors pas disponible pour transformer des intrants en extrants. On peut donc dire que plus un système se sera entouré d'une enveloppe de maintien opaque et épaisse, plus il consommera d'énergie pour se défendre contre son environnement et moins il aura d'énergie disponible pour la poursuite de sa mission.

On peut considérer en règle générale que moins un système est adapté à son environnement (que cela soit justifié ou non), plus il a besoin d'une enveloppe de protection épaisse pour se maintenir dans l'état où il se trouve. C'est souvent le cas des personnes qui véhiculent des idées de changement par rapport à leur environnement. Elles doivent en effet investir une bonne quantité d'énergie pour se protéger des pressions d'un environnement social auquel elles ont choisi de ne pas être complètement adaptées. Le phénomène joue de la même façon dans le cas des personnes qui ne voudraient pas s'adapter à un environnement qui aurait subi des changements notables.

L'effet de l'enveloppe de maintien se manifeste entre autres en ce qui a trait à la mission. La perception de la mission qui, en fait, définit la raison d'être du système, constitue un critère privilégié pour décider des intrants et *feed-back* qui sont et ne sont pas recevables par le système. Cette perception de la mission du système agit donc comme un filtre qui permet de faire entrer le *feed-back* recevable et utilisable dans le système et de refouler d'autres types de *feed-back*.

Reprenons l'exemple du tireur en train de décocher quelques flèches vers une cible. Une personne placée en retrait lui indique l'endroit où se posent les flèches. Ce *feed-back* est recevable et le tireur l'intègre pour améliorer les extrants suivants. Une autre personne se met à lui faire des commentaires concernant le caractère esthétique de son geste, par exemple : « Ce serait plus beau si tu levais davantage le coude droit ! » Si le tireur n'est préoccupé que de toucher la cible, il n'intégrera ce commentaire en tant que *feed-back* recevable que s'il le considère susceptible d'améliorer sa performance, autrement dit seulement s'il le considère pertinent en fonction de la perception qu'il a de sa mission, celle-ci étant de toucher le plus près possible le centre de la cible. Si, au contraire, le tireur considère le commentaire comme n'ayant aucun lien fonctionnel avec la perception qu'il a de sa mission, il ne l'intégrera pas et la perception qu'il a de celle-ci agira comme filtre, en refusant ce *feed-back* non recevable et en l'empêchant de venir modifier le processus en cours.

Il devra cependant consommer une certaine quantité d'énergie pour résister aux demandes de la personne qui a des préoccupations d'ordre esthétique. Il pourra par exemple lui répondre verbalement ou simplement faire l'effort de l'ignorer. L'énergie qu'il consacrera alors à répondre à son interlocuteur ou à l'ignorer le divertira de sa mission qui est de mieux toucher la cible. Il aura donc moins d'énergie à consacrer à l'atteinte de sa mission. À la limite, il pourra investir tellement d'énergie à se défendre contre cet agent perturbateur qu'il ne lui en restera plus pour continuer à tirer à l'arc.

1.2.8. L'environnement

L'environnement ne fait pas partie du système, c'est tout simplement l'univers dans lequel celui-ci existe. L'environnement est cependant d'une importance capitale pour le système. C'est là que seront distribués les extrants. C'est de là que proviendront les *feed-back*, puisque ce sont les utilisateurs qui feront les commentaires sur l'utilité des extrants ou sur leur adéquation avec la mission. C'est souvent de l'environnement que viendront les déclencheurs des modifications au processus de transformation. D'où l'importance de bien connaître l'environnement où est implanté le système quand on veut examiner les possibilités d'introduire un changement.

1.3. Quelques propriétés des systèmes

1.3.1. La tendance à l'homéostasie

Les systèmes auraient tendance à rechercher un état d'homéostasie, c'est-à-dire un état de stabilité relative dans leurs relations avec les autres systèmes et sous-systèmes. Cet état de stabilité consisterait à limiter le plus possible les variations soit dans le fonctionnement du système (intrants, transformation, extrants, *feed-back*, enveloppe de maintien), soit dans les interactions avec les autres systèmes. Dans la mesure où des variations significatives se manifesteraient à un niveau ou l'autre, cela exigerait la consommation d'une certaine somme d'énergie et supposerait des ajustements consécutifs dans et avec l'environnement. Aussi une telle tendance à la stabilisation se présente-t-elle comme une mesure d'économie d'énergie.

Il faut souligner que « tendance à l'homéostasie » ne signifie pas « rigidité ». Cette tendance correspond plutôt à une recherche d'équilibre et est par conséquent dynamique. Cette recherche d'équilibre se manifestera de deux façons, selon que le système sera en présence d'agents perçus comme menaçants ou comme bénéfiques.

Face à des agents perçus comme menaçants, c'est-à-dire des éléments qui compromettent la mission du système, la tendance à l'homéostasie devrait se manifester par un resserrement de l'enveloppe de maintien pour résister à l'entrée de ces agents. À l'inverse, face à des agents perçus comme bénéfiques, c'est-à-dire des éléments qui appuieront la réalisation de la mission du système ou qui y contribueront, la tendance à l'homéostasie devrait se manifester par un relâchement de l'enveloppe de maintien qui rendra le système perméable aux agents en question. D'une certaine façon, si le système est à court d'agents bénéfiques pour « s'alimenter », la tendance à l'homéostasie aura pour effet de stimuler le système à chercher dans son environnement des agents bénéfiques qui assureront son état d'équilibre. Ainsi, un système en changement (en développement) devrait-il être à la recherche d'éléments qui lui assureront un équilibre satisfaisant par rapport à sa nouvelle situation et non plus par rapport à son état antérieur. Dans ce cas-ci, les éléments qui antérieurement assuraient l'équilibre du système, pourraient même être devenus des agents menaçants, car ils ne sont plus de nature à contribuer au nouvel état d'équilibre recherché ou à l'appuyer.

Dans la problématique du changement social, la tendance à l'homéostasie dans les systèmes devrait donc susciter de la résistance si le changement est perçu comme menaçant pour l'état d'équilibre du système. Par contre, cette tendance devrait rendre le système visé particulièrement ouvert au changement si celui-ci est perçu comme pouvant aider à maintenir ou à développer l'état d'équilibre recherché, dans la mesure évidemment où l'énergie qui sera consommée pour s'adapter au changement sera proportionnelle aux gains espérés après le changement. Soulignons que nous ne disons pas que le système choisira ce qui est bon pour lui, mais plutôt ce qu'il pense être bon pour lui.

Prenons encore une fois le corps humain comme exemple. On sait qu'il y existe une forte tendance à l'homéostasie. Si un agent toxique s'introduit dans l'organisme, des anticorps et des mécanismes protecteurs (comme les ganglions) s'activent pour limiter l'impact de cet agent. Dans le cas de transplantations d'organes, on connaît les problèmes d'incompatibilité dont peuvent résulter des phénomènes de rejet. Si on baisse subitement la température de la pièce où se trouve une personne, son corps enverra divers signaux qui l'inciteront à se couvrir de vêtements chauds pour rétablir un équilibre calorifique satisfaisant. La tendance à l'homéostasie aura alors été un facteur de changement dans le comportement du système.

Dans une certaine mesure, on peut dire que la tendance à l'homéostasie facilite les « négotiations » du système avec son environnement. Si à un moment ou l'autre l'environnement incorpore des modifications substantielles, il est probable que le système éprouvera de plus en plus de difficultés à s'y maintenir dans un état d'équilibre satisfaisant. La tendance à l'homéostasie devrait stimuler le système pour qu'il se protège mieux ou qu'il change et trouve ainsi un nouvel état d'équilibre. On peut ajouter à cet égard que plus le *zeitgeist*[2] dans le système sera compatible avec les modifications en cours dans l'environnement, plus il devrait tendre à changer plutôt qu'à se protéger, car l'environnement pourra alors lui fournir des éléments qui manifestement contribueront à l'atteinte de l'équilibre recherché.

1.3.2. Le caractère ouvert, fermé ou semi-ouvert des systèmes

À la lumière de ce qui a déjà été dit au sujet de l'enveloppe de maintien, on peut déduire qu'un système peut être qualifié de plus ou moins ouvert ou fermé selon qu'il est plus ou moins perméable aux *feed-back* de son environnement.

Un système sera dit ouvert lorsqu'il sera plutôt perméable aux *feed-back* et sera dit fermé lorsqu'il sera totalement ou presque entièrement imperméable aux *feed-back*, surtout à ceux qui l'amèneraient à changer. Un système semi-ouvert (ou semi-fermé), pour sa part, sera caractérisé par une ouverture à certains types de *feed-back* et par une fermeture à d'autres.

Si dans un système l'ouverture présente l'avantage de maintenir un contact intense avec l'environnement et de favoriser l'ajustement continu, donc le changement, elle présente également le désavantage d'exposer tellement le système aux différents *feed-back* de l'environnement qu'il en devient littéralement envahi. Il n'a plus de frontière et doit consommer tellement d'énergie pour traiter le *feed-back* reçu qu'il risque de ne plus lui en rester pour le processus de transformation. Sans compter, d'une part, la difficulté de concilier certains *feed-back* contradictoires ou incompatibles et, d'autre part, l'investissement d'énergie nécessaire à la série d'ajustements consécutifs. Ainsi, un système trop ouvert serait pratiquement voué à l'impuissance, faute d'avoir contrôlé suffisamment ses sources d'influences.

On pourrait par exemple imaginer un conseil d'administration qui, par souci d'ouverture, s'exposerait de façon continue à tous les *feed-back* de son environnement pour en tenir compte le plus possible. On peut imaginer les acrobaties auxquelles ce conseil d'administration devrait avoir recours pour traiter tous ces *feed-back*, pour concilier les contradictions, pour faire régulièrement tous les ajustements nécessaires. Il en résulterait une confusion profonde qui mènerait à l'impuissance.

Le système fermé, pour sa part, présente les caractéristiques inverses. S'il doit investir très peu d'énergie à s'adapter, il doit par ailleurs en consommer beaucoup en ce qui concerne son enveloppe de maintien afin de demeurer imperméable aux pressions de l'environnement. De plus, faute de s'ajuster à un environnement qui, lui, se transforme, le système fermé risque

2. Voir section 2.4.

de devenir déphasé, dysfonctionnel, car ses extrants n'auront plus de correspondance ou de compatibilité avec les besoins et exigences de l'environnement. En somme, il n'y aura plus d'interaction possible avec les autres systèmes, et sa mission ou raison d'être pourra avoir perdu tout son sens. Ce serait le cas par exemple d'un groupe quelconque qui continuerait à militer pour l'intégration du Mexique à l'ALENA, ignorant que la chose est déjà réalisée.

En somme, le système fermé, à cause de son déphasage persistant par rapport à l'environnement, se place sur une trajectoire d'extinction à plus ou moins court terme.

Quant au système semi-ouvert, il a des caractéristiques des systèmes ouverts et fermés en fait de perméabilité aux *feed-back* de l'environnement. Selon son degré d'ouverture, il sera perméable à une certaine quantité et à certains types de *feed-back* et il sera résistant à d'autres. Dans la réalité, on peut présumer que la plupart des systèmes sociaux en bonne santé sont des systèmes semi-ouverts et que de ce fait, ils présentent une certaine perméabilité au changement. Cette perméabilité serait alors conditionnée, d'une part, par le degré d'ouverture du système et, d'autre part, par la quantité d'énergie dont il dispose pour traiter les changements.

1.4. Le modèle systémique et le changement

Dans ce chapitre, nous avons présenté sommairement les principaux éléments de la théorie des systèmes. Cette théorie nous aidera à mieux cerner et à comprendre les phénomènes sociaux, et nous suggérons de l'utiliser comme grille de référence pour mieux comprendre la problématique du changement social et ainsi être plus habile à opérer des changements dans les systèmes organisationnels. Tout au long des chapitres qui suivront, nous utiliserons cette théorie comme postulat de base pour explorer le changement social et organisationnel.

Il conviendrait ici que nous définissions mieux ce que nous entendons par « systèmes organisationnels ». À partir de ce qui a été dit sur la théorie des systèmes, nous dirons qu'un système organisationnel est un groupe de personnes :

- considérées en fonction d'une mission qui leur est relativement commune ;
- à l'intérieur duquel on peut relever différents sous-systèmes ;
- qui est en interaction avec d'autres systèmes (donc dans un environnement) ;
- qui présente un minimum d'organisation.

Dans la perspective du changement, nous croyons que ce qui est le plus important par rapport à la théorie des systèmes, c'est que l'agent de changement acquière une « vision systémique » des environnements sur lesquels il agit. Ainsi, il ne pourra plus envisager les cibles de changement comme des entités isolées et cloisonnées, mais devra les considérer comme des sous-systèmes s'inscrivant dans un réseau d'interdépendance qui conditionnera directement le potentiel de changement. Ce sera déjà une première façon d'être réaliste quant à la nature des actions à mener. En fait, l'agent de changement aura à prendre en considération les différents sous-systèmes qui seront affectés par le changement ainsi que la force des liens systémiques qui les unissent. Cette appréciation de l'intensité des liens entre les différents sous-systèmes servira à appréhender les conséquences de l'impact sur les sous-systèmes qui sont en relation avec celui sur lequel on agit.

De la théorie des systèmes, il faut aussi retenir que le changement dans un système organisationnel sera souvent une cause de désordre, nécessitera un surplus d'énergie et produira des effets systémiques consécutifs. Par ailleurs, la tendance à l'homéostasie dans un système devrait avoir pour conséquence de limiter de telles variations si le changement est perçu comme menaçant, d'où une source de difficultés importante pour l'introduction de tout changement qui tendrait à modifier sensiblement la stabilité du système.

Il faut aussi signaler que la théorie des systèmes nous encourage à entretenir une perception dynamique des systèmes sociaux, où l'on s'attend à trouver des variations, des mouvements, des influences. Chacun des systèmes interagit avec les autres, un peu comme des boules de billard en mouvement qui, en se touchant, affectent mutuellement leurs trajectoires.

La théorie des systèmes fournit aussi quelques indications sur les stratégies à utiliser pour amener le changement. Par exemple, devant un système plutôt fermé, un agent de changement pourrait conclure qu'il faut rendre ce système plus ouvert avant d'y introduire certains types de changements.

Enfin, insistons sur le fait qu'au-delà de ses raffinements théoriques, le modèle systémique nous fournit d'abord une façon d'appréhender la réalité.

Questions-guides

1. *Quelles sont les frontières du système visé ?*
2. *Quelle est la nature des liens entre le système visé et les systèmes environnants ?*
3. *Quels sont les autres systèmes sur lesquels il faudrait agir en même temps pour pouvoir implanter le changement ?*
4. *Comment le système perçoit-il sa mission ?*
5. *Le système visé a-t-il une enveloppe de maintien mince ou épaisse ? Dans quelle mesure est-il ouvert ou fermé ?*
6. *Le changement projeté touchera-t-il les intrants ? les extrants ? le processus de transformation ? les mécanismes de* feed-back *? la mission ?*

LE CHANGEMENT : DÉFINITION, SOURCES ET MÉCANISMES

En nous efforçant d'atteindre l'inaccessible,
nous rendons impossible ce qui serait réalisable.
Robert Ardrey

2.1. Qu'est-ce que le changement ?

Tout bouge, tout change, même la planète sur laquelle nous sommes tourne sur elle-même et se déplace dans l'espace. Comprendre le changement, c'est tenter de comprendre un ensemble complexe de phénomènes, de mouvements, parmi d'autres mouvements et c'est en fait tenter d'expliquer un processus continu qui se situe au centre de la réalité des organismes vivants et qu'il est difficile d'arrêter pour en prendre un cliché.

Sachant que le processus du changement est difficilement isolable entre deux points dans une réalité qui, le plus souvent, n'est pas linéaire, nous devons néanmoins, à des fins d'illustration, « faire comme si » on avait réussi à isoler le processus de changement. Cette distorsion de la réalité nous permettra plus loin de mettre en lumière les phases qui caractérisent le processus de changement.

On pourrait sans aucun doute engager un long débat sur ce qui est et ce qui n'est pas un changement, en considérant un certain nombre de critères qualificatifs, quantitatifs, idéologiques. Pour notre part, nous adopterons une définition qui aide à cerner le processus du changement indépendamment de la valeur du changement lui-même. Dans cet esprit, nous proposons la définition suivante du changement :

> Tout passage d'un état à un autre, qui est observé dans l'environnement et qui a un caractère relativement durable.

Par extension, la définition que nous donnons du changement organisationnel est la suivante :

> Toute modification relativement durable dans un sous-système de l'organisation, pourvu que cette modification soit observable par ses membres ou les gens qui sont en relation avec ce système.

Soulignons deux aspects de cette définition. Premièrement, il suffit qu'une modification soit observée, donc observable, pour qu'on parle de changement. En effet, ce qui à notre avis fait qu'il y a changement, ce n'est pas que la modification en cause soit plus ou moins grande, c'est plutôt qu'elle soit observée, c'est-à-dire qu'elle oblige à une modification dans les perceptions de celui qui vit dans l'environnement. Par ailleurs, il est évident que les changements de petite envergure ne susciteront que peu d'intérêt, mais il reste que ce seront les mêmes processus qui s'y produiront, avec moins d'intensité.

Deuxièmement, la définition ne préjuge en aucune façon de la valeur du changement. En effet, l'intérêt d'un changement n'appartient pas à sa définition, mais plutôt au jugement de celui qui l'observe. Et, ici comme ailleurs, la bonne vieille loi de la relativité perceptuelle jouera : pour un changement donné, certains verront une bénédiction du ciel et d'autres une calamité de l'enfer. En fait, quand on tente de juger de la valeur d'un changement, c'est davantage aux notions de progrès et de régression que l'on se réfère, le progrès étant l'atteinte d'un état plus adéquat par rapport à ce qui existait antérieurement et la régression étant l'inverse (toujours selon la perception de celui qui l'observe).

Profitons-en pour clarifier immédiatement les expressions « changement », « processus de changement » et « démarche de changement ». Ces trois expressions seront utilisées fréquemment tout au long de l'ouvrage et il importe de ne pas les confondre.

L'expression changement fait référence à une modification observable qui s'est produite dans le système social.

L'expression processus de changement fait référence aux différentes phases vécues par le système social qui doit intégrer le changement. Le processus se déroule donc au niveau de l'expérience personnelle de ceux qui vivent le changement (ce ne sont pas principalement ceux qui en sont les promoteurs).

La démarche de changement fait référence aux différentes étapes qui seront franchies pour entreprendre, promouvoir et implanter un changement dans un système. Elle contient donc les différentes activités qui seront exécutées par les agents du changement pour s'assurer qu'il se matérialise dans l'organisation.

Pour situer les propos qui vont suivre dans un contexte organisationnel, nous définissons de la façon suivante ce qu'est, pour nous, une organisation :

> Tout système de *production,* dans un environnement donné, regroupant deux ou plusieurs acteurs devant *interagir,* orienté par une *mission formelle à accomplir,* et dont la coordination est effectuée par un ou plusieurs des acteurs à qui on a confié explicitement ce rôle.

2.2. Le processus du changement dans les organisations

On peut considérer le changement chez l'être humain à partir de plusieurs perspectives. Par exemple, toutes les théories psychologiques qui proposent une thérapeutique pour soulager l'individu de ses difficultés comportent une conception du changement ; pensons notamment à la psychanalyse et à l'approche humaniste, qui ont exercé une grande influence en Occident. La plupart de ces théories s'intéressent aux mécanismes intrapsychiques et y cherchent les leviers susceptibles de produire le changement. Ces théories tendent à se centrer sur l'individu, souvent sans tenir compte de son contexte social.

On trouve en sociologie d'autres approches du changement qui, elles, s'intéressent aux dimensions macroscopiques du changement social, c'est-à-dire aux facteurs historiques, politiques, démographiques, économiques qui expliquent le changement dans les sociétés (Marx, Weber). Ces théories tendent à ignorer l'expérience subjective de l'individu, en l'assimilant à des phénomènes de masse et en l'asservissant à des règles collectives.

Dans le domaine organisationnel, les théories expliquant les phénomènes de changement sont surtout issues de la psychologie sociale et de la psychosociologie. Un certain nombre s'intéressent aux facteurs qui font changer l'organisation comme système ; elles abordent alors le sujet sous un angle macroscopique, privilégiant l'organisation globale comme unité d'analyse. Dans cette perspective, les approches s'intéressant à l'interdépendance de l'organisation avec son environnement (Lawrence et Lorsh) ont fait l'objet de plusieurs publications dans la seconde moitié du siècle et ont exercé une influence marquante sur les approches actuelles.

D'autres théories ont utilisé comme unité d'analyse l'individu dans son milieu, s'intéressant aux mécanismes du changement et aux facteurs qui le produisent. Les travaux de Lewin[1] (1947) sont sûrement les plus connus de ce courant. Sa théorie met l'accent sur le processus de changement que traverse l'acteur, et tente d'en faire apparaître le caractère dynamique. Son modèle, inspiré de la chimie des solides, encourageait une vision linéaire, chronologique du processus. Ce faisant, cette théorie tendait à négliger l'interaction entre les destinataires et les porteurs du changement, tout comme avec l'entourage.

Néanmoins le modèle de Lewin a eu le mérite de proposer une lecture dynamique du processus de changement qu'il vaut la peine de rappeler, ne serait-ce qu'à cause des intuitions qu'on y trouve et qui ont servi d'amorce à beaucoup de développements subséquents.

Dans son modèle, qui s'intéressait surtout au changement dans les attitudes, Lewin avance que le processus évolutif du changement suivrait un cheminement caractérisé par trois phases plus ou moins longues, difficiles et intenses selon les personnes ou les groupes concernés. Ce sont :

- la décristallisation ;
- la transition ;
- la recristallisation.

On pourrait représenter ces trois phases par l'illustration suivante.

FIGURE 2.1
Les phases du changement

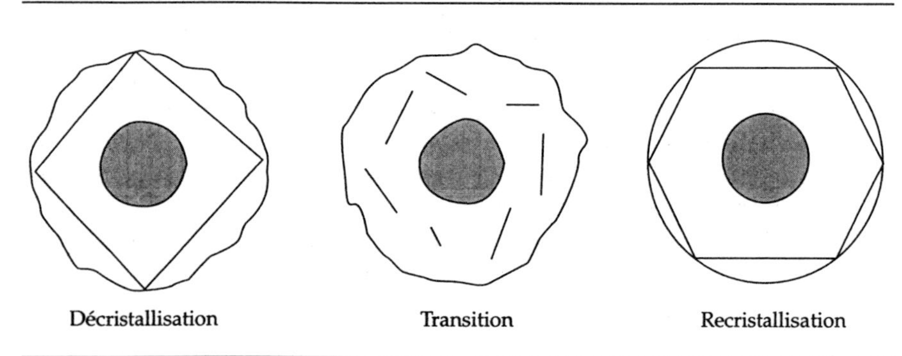

Cette illustration (figure 2.1) montre que la configuration initiale est provisoirement devenue plus fluide, pour ensuite redevenir solide, mais dans une forme différente de ce qu'elle était auparavant. Il faut souligner

1. Kurt LEWIN, *Resolving Social Conflicts*, New York, Harper, 1968.

ici que solide n'est pas équivalent à rigide, mais évoque plutôt une certaine stabilité.

Ainsi, le processus du changement vécu par des personnes serait marqué dans un premier temps par l'abandon des comportements ou attitudes habituelles. Suivrait ensuite une période marquée par des comportements ou attitudes plus ou moins instables, contradictoires, pour déboucher sur l'acquisition de nouveaux comportements ou de nouvelles attitudes adaptées aux exigences de la situation.

L'expérience montre que les organisations en situation de changement suivent à peu près la même évolution, autant comme systèmes techniques que comme systèmes sociaux. Il va de soi que l'intensité, comme la durée des phases, varie selon l'importance de l'écart entre la situation existante et la situation recherchée.

La *décristallisation* correspondrait à la période où un système, qu'il s'agisse d'un individu, d'un groupe ou d'une collectivité, commence à remettre en question, volontairement ou non, ses perceptions, ses habitudes ou ses comportements.

Cependant, même si le processus de décristallisation des comportements ou attitudes est commencé, le changement n'est pas acquis pour autant. Il lui reste encore à trouver sa direction et à se consolider. En effet, le changement ne suppose pas uniquement l'abandon de comportements ou d'attitudes, mais surtout l'acquisition de nouveaux comportements et de nouvelles attitudes.

On entrerait alors dans la deuxième phase du processus de changement, la *transition*. On s'initie au nouveau mode de fonctionnement et on expérimente les « nouvelles façons » de faire les choses.

Finalement, le changement ne serait durable que dans la mesure où la troisième phase serait réussie, c'est-à-dire que le changement serait intégré dans de nouvelles façons de faire de plus en plus spontanées. Les nouvelles pratiques « s'harmonisent » avec les autres dimensions du quotidien et font désormais partie des habitudes. On parle alors de *recristallisation*.

Les recherches ont progressé depuis cette époque. Les modèles sont un peu plus raffinés, et surtout ils expriment mieux la dimension sociale des organisations en explicitant davantage les interactions entre les individus et entre les groupes pendant l'implantation et l'intégration d'un changement. Dans une recherche intitulée « Les enjeux communicationnels de la gestion d'un changement dans une organisation », Pierre Collerette (1995), tout en s'inspirant du modèle de Lewin, pose que pour comprendre la problématique du changement organisationnel, il faut examiner l'expérience des acteurs qui « vivent » le changement, et pour cela, il faut au préalable comprendre comment ceux-ci s'adaptent à la réalité quotidienne, réalité qui par ailleurs comporte naturellement des pressions au changement.

Il estime que « le constructivisme et le systémisme, incarnés plus spécialement dans les travaux de Schutz (1987), de Berger et Luckmann (1986), de l'école de Palo Alto (Watzlawick, 1988), de Mucchielli (1995), fournissent un cadre conceptuel très utile pour l'étude des processus d'adaptation des systèmes humains à leur réalité, à partir de l'expérience subjective des acteurs, mais ancrée dans des systèmes d'interaction avec l'entourage. Sans nier les apports de la psychosociologie des organisations, le constructivisme et le systémisme permettent d'aborder la question du changement sous un angle différent et plus large qui éclaire mieux les dynamiques communicationnelles face au changement ».

Le constructivisme, qui traite de la construction de « la » réalité au moyen d'un langage propre à un groupe, attire l'attention sur la place centrale que joue la communication dans l'expérience sociale de l'acteur ; le systémisme pour sa part permet d'extraire de cette expérience une compréhension fine et utilisable pour l'action, une compréhension plus proche de l'expérience quotidienne que ne le faisaient les théories mécanistes, en situant l'ensemble des interactions dans un contexte d'influence entre les sous-systèmes d'un organisme.

Le constructivisme pose que le processus de construction du réel est un phénomène qui ne s'arrête pas. Il peut connaître des moments intenses et des moments faibles, mais il est toujours actif, ou tout au moins toujours en état de veille, un peu à la manière d'un radar qui capte les variations dans son champ de veille pour en confronter la signification avec les référents codés dans le système-expert, et ensuite activer le signal approprié pour l'opérateur. Les expériences quotidiennes des membres d'un système social seraient donc continuellement confrontées à leur « système de pertinence partagé », dans un jeu sans fin de sélection et de traitement des données.

Clarifions brièvement ce concept de « système de pertinence partagé », qui nous vient du constructivisme et qui a été repris par Alex Mucchielli[2]. Le système de pertinence d'un individu est composé de règles, de normes, de croyances, d'opinions qui définissent sa conception de ce qui est normal, de ce qui est acceptable et de ce qui est souhaitable dans les comportements de son entourage et dans ses propres comportements. Cette conception s'est construite au hasard des expériences vécues et des influences subies. Si une part résulte d'un choix personnel, une autre part résulte des pressions exercées par la société dans laquelle vit l'individu, et donc par les divers groupes dont il fait partie. Le système de pertinence d'un individu est donc déterminé en partie par la convention sociale (souvent implicite) à laquelle

2. Alex MUCHIELLI, *Les sciences de l'information et de la communication*, Paris, Hachette, 1995.

il adhère, et c'est pourquoi on dit qu'il s'agit d'un système de pertinence « partagé ».

Suivant ce qui vient d'être présenté brièvement sur l'approche constructiviste-systémique, le processus de changement, donc de reconstruction du réel, comporterait quatre grandes phases, correspondant à quatre types d'activités mentales qui présenteraient des caractéristiques différentes du cycle habituel d'interprétation du réel. Ces quatre phases sont : l'*éveil*, la *désintégration*, la *reconstruction* et l'*intégration*. Dans sa formulation, ce modèle n'est pas très éloigné du modèle classique de Lewin mentionné précédemment. On peut dire que l'éveil et le début de la désintégration correspondraient à la décristallisation. La majeure partie de la désintégration et toute la reconstruction se déroulent pendant la transition. Et finalement, l'intégration engloberait toutes les activités de recristallisation.

2.2.1. L'éveil

En présence d'une pression visant un changement, l'éveil est cette activité mentale qui consiste à s'interroger, ne serait-ce qu'à des fins stratégiques, sur l'utilité de prêter attention à cette pression. Il s'agit d'abord d'une opération de triage, influencée par plusieurs facteurs dont il sera question plus loin. La décision, même à un niveau préconscient, d'accepter ou de refuser de remettre en cause sa représentation du réel, présente une grande importance, car c'est à ce moment-là que le système décide de laisser, ou non, son système de pertinence être ébranlé par les pressions de son environnement, que nous appellerons plus loin les déclencheurs du changement. La littérature sur la psychosociologie du changement organisationnel traite implicitement cette phase comme faisant partie de la décristallisation. Certes, on peut considérer que lorsque l'individu a accepté de remettre en cause son système de représentation, la désintégration est amorcée, mais il s'agit néanmoins d'une opération différente, qui lui est antérieure, si ce n'est au plan temporel, tout au moins au plan cognitif, puisque l'une de ses issues peut être de ne pas remettre en question le système de pertinence, auquel cas il n'y aurait pas de désintégration.

Un système social peut être exposé à une même sollicitation au changement à plusieurs reprises et ne jamais remettre en question son système de pertinence, donc ne jamais s'engager dans un processus de reconstruction de sa réalité. S'il choisit à un moment donné d'y accorder une certaine attention, il amorcera alors la phase de désintégration/reconstruction de sa réalité.

2.2.2. La désintégration

La désintégration consiste à déterminer quels sont les aspects jugés non adaptés dans le système de représentation et dans les pratiques qui en découlent, pour les écarter ou en réduire la valeur relative. Si l'issue de la phase d'éveil était la remise en question de ses représentations, l'issue de la désintégration, c'est le discrédit jeté sur des conceptions ayant prévalu jusque-là. Cependant, rien n'est encore acquis; le système procède à un examen de son système de représentation pour en jauger la pertinence, c'est-à-dire sa capacité à faciliter son adaptation au réel. Si des solutions de rechange lui sont proposées, il peut confronter son système de pertinence avec celles-ci pour juger de leur valeur respective. C'est au travers de cette opération de remise en cause qu'il décide s'il plonge dans l'effort de reconstruction ou non.

Il peut très bien arriver que le bilan que fait le système de son fonctionnement ne soit pas suffisamment négatif pour mobiliser des énergies en vue d'un changement et qu'en conséquence, le système cesse sa réflexion sur l'utilité de changer quoi que ce soit.

La désintégration ne conduit donc pas nécessairement au changement; le système peut commencer une désintégration, puis décider de reconstruire rapidement son univers dans la forme qui prévalait auparavant.

Les phases d'éveil et d'amorce de désintégration correspondent à la période où les promoteurs d'un changement ont déjà annoncé leur désir de modifier certaines pratiques courantes ou même commencé à introduire de nouvelles façons de faire. C'est durant cette période que se développe chez les destinataires l'attitude à l'égard du changement: ils seront réceptifs ou réfractaires. C'est également la période où les alliances et les coalitions commencent à prendre forme au sein des groupes, qu'il s'agisse des initiateurs ou des destinataires du changement. On en est donc au début de la déstabilisation du système, c'est-à-dire au début du changement.

Cette période de désintégration sera habituellement accompagnée d'insécurité et d'anxiété, car, s'il décide de bouger, le système devra accepter de se départir de ses points de repère familiers, avec lesquels il a déjà acquis une certaine habileté, pour en adopter d'autres, encore mal connus et avec lesquels il risque d'être malhabile pendant un certain temps. C'est la période où il y a plus de questions que de réponses. On ressent un mélange d'espoir et de méfiance, d'enthousiasme et d'exaspération.

Sachant que la phase de désintégration peut être exigeante pour le système, qu'est-ce donc qui peut amener un organisme à amorcer une tentative de changement? En d'autres termes, quels seraient les déclencheurs qui susciteraient chez les destinataires suffisamment d'intérêt et d'énergie pour qu'ils réagissent positivement à une proposition de changement?

À partir d'une vision psychosociale, on pourrait retenir trois grands types de déclencheurs d'énergie en vue d'un changement :

- l'attrait de satisfactions ou de gratifications plus élevées ;
- l'insatisfaction ressentie dans la situation existante par les personnes visées ou l'insatisfaction appréhendée dans un avenir prévisible ;
- la pression des leaders du milieu.

Plus ces déclencheurs seront présents, en quantité comme en intensité, plus le changement sera accueilli et intégré facilement ; à l'inverse, moins ils seront présents, plus le changement sera mal accueilli et difficile à intégrer dans les pratiques quotidiennes.

L'attrait de satisfactions ou de gratifications plus élevées

La plupart des théories sur la motivation avancent que l'être humain est motivé, entre autres, par la recherche du plaisir ou l'évitement de la souffrance. Cela signifierait qu'il est improbable que les gens refusent de se rallier à un changement s'il y a pour eux la possibilité d'accroître leurs gains. Il faut cependant nuancer cette assertion. Pour qu'elle se vérifie, il faut que les destinataires perçoivent réellement qu'ils font des gains. De plus, il faut que ces gains soient attrayants pour eux : pensons aux nombreux fumeurs qui savent que leur santé serait mieux protégée s'ils s'abstenaient de fumer. Mais là encore, c'est insuffisant. Il faut que les gains escomptés compensent et même dépassent les coûts en énergie qui seront demandés aux individus pour abandonner leurs habitudes et en adopter d'autres.

Ajoutons que l'espérance de gains constitue un déclencheur à durée limitée. En effet, comme elle résulte d'une anticipation intellectuelle, cette vision de l'esprit risque de s'estomper devant les difficultés et les insatisfactions qui accompagnent l'effort de changement.

L'insatisfaction ressentie dans la situation existante ou appréhendée dans un avenir prévisible

Bien que ce déclencheur puisse paraître moins noble que le précédent, il s'avère habituellement très efficace. L'histoire de l'humanité est pleine d'exemples de sociétés qui ont entrepris de changer pour se tirer de situations insatisfaisantes ou pour éviter des catastrophes prochaines. Ainsi, il aura fallu attendre que la planète soit sérieusement menacée pour que les sociétés occidentales s'intéressent à la protection de l'environnement ; il faut souvent que les usagers aient atteint un degré d'insatisfaction élevé avant qu'ils ne protestent pour obtenir une amélioration des services qu'ils reçoivent.

Ainsi, si les destinataires vivent de l'insatisfaction dans la situation existante, ils seront plus susceptibles d'envisager positivement un éventuel changement. Dans le cas inverse, ils verront le changement comme un caprice (ou une théorie) des décideurs. Par insatisfaction, nous entendons des problèmes, des difficultés, des voies sans issue, ou même un manque de stimulation, qui irritent véritablement les destinataires.

La pression des leaders du milieu

Les recherches dans le domaine de la communication publique ont montré que les membres d'un système ont souvent de la difficulté à se faire une opinion cohérente sur un problème, surtout s'il ne les gêne pas directement ou s'il est complexe. En fait, beaucoup de gens se tournent vers les leaders naturels pour se former une opinion ou pour confirmer la leur. Ces derniers auront donc un effet déterminant sur l'accueil qui sera réservé au changement. En conséquence, plus les leaders naturels de l'organisation appuieront explicitement le projet de changement, plus celui-ci sera facile à mener à bien. Attention : il s'agit ici des personnes qui ont effectivement un leadership sur les destinataires, c'est-à-dire de la crédibilité à leurs yeux. Il ne s'agit donc pas nécessairement des figures d'autorité, car celles-ci, en dépit du pouvoir qu'elles détiennent, ne sont pas nécessairement considérées comme crédibles.

2.2.3. La reconstruction

Au fur et à mesure qu'apparaît le vide fonctionnel résultant de la désintégration de certains éléments de son univers de pertinence, le système se met à la recherche de significations nouvelles qui l'aideront à réagir de façon satisfaisante aux situations qui se présentent. Que ces significations nouvelles lui soient proposées ou qu'il les invente, le système est en train de s'approprier de nouvelles significations dans sa façon de percevoir le réel ; il reconstruit autrement ce qu'il perçoit du monde, et du coup sa façon d'entrer en relation avec lui. La phase de reconstruction est engagée et se déroule concurremment à la désintégration, dans une sorte de relation dialectique entre les deux. Cette reconstruction s'opère en fonction des possibilités que le système entrevoit, et celles-ci sont jugées à partir des intérêts que poursuit le système. Pour peu que les rapports de pouvoir soient déstabilisés par l'effort de reconstruction du réel, la reconstruction s'opère également, et en même temps, au niveau des interactions entre les membres du système, donc au niveau de l'équilibre des forces à l'intérieur du système. C'est alors une sorte de renégociation des significations partagées qui se met en œuvre entre les membres du système social. Ce processus de négociation des significations partagées se produit autant en ce qui concerne l'objet du changement que l'équilibre entre les acteurs au sein du système social.

Nous n'en sommes donc plus à la simple remise en question et pas encore tout à fait au choix final. La nécessité d'un changement étant désormais ressentie, le système oriente son regard vers les éléments de son environnement qui sont susceptibles d'apporter des solutions de rechange à sa situation.

Cette recherche de nouveaux comportements et de nouvelles attitudes peut s'effectuer selon deux modes : celui de la recherche et celui de l'identification. Il n'est jamais facile de départager dans une reconstruction ce qui tient de la recherche de ce qui tient de l'identification. De façon générale, on peut toutefois dire que le mode « recherche » est caractérisé par la volonté de trouver une solution particulièrement adaptée à la situation, quitte à l'inventer, alors que le mode « identification » se caractérise surtout par la reprise (l'imitation) de solutions qui ont déjà eu du succès ailleurs et qu'on croit pouvoir ajuster à ses besoins.

Le mode « recherche »

Le système qui entreprend un changement en suivant le mode « recherche » s'engage dans un processus conscient et délibéré d'inventaire et d'évaluation de différentes possibilités qui s'offrent pour remplacer les comportements et les attitudes délaissés. Ces possibilités peuvent aussi bien déjà exister, comme elles peuvent être à créer de toutes pièces.

Souvent, ce processus sera marqué de différentes expérimentations qui permettront de dégager les possibilités qui répondent le mieux aux besoins décelés.

Par exemple, le service public aux prises avec un problème de faible fréquentation pourrait avoir entrepris une étude à l'intérieur de laquelle différentes hypothèses seraient considérées pour solutionner le problème. En plus, des contacts auraient pu être établis avec d'autres organismes ayant expérimenté certaines de ces hypothèses pour en connaître les effets réels. Enfin, différentes formules pourraient être expérimentées pour trouver les plus efficaces et pour mieux les ajuster aux exigences du réel. Somme toute, une démarche délibérée et lucide aurait été entreprise pour trouver la ou les possibilités les mieux adaptées au besoin.

Parmi les aspects qui caractérisent le mode « recherche », on peut retenir ceux qui suivent :

- le système s'engage dans un processus actif de recherche de possibilités et peut aller jusqu'à l'expérimentation ;
- le système est relativement lucide sur le fait qu'il a choisi de changer et qu'il investit des efforts pour mieux déterminer la direction du changement ;
- le système ne cherche pas nécessairement une solution « toute faite », mais surtout un aménagement de possibilités adapté à son besoin.

Toutefois, ce mode comporte quelques inconvénients. En effet, à cause de la nature du mode « recherche », on peut prévoir que la période de reconstruction pourra être relativement longue. Il ne s'agit pas de remplacer une situation par une autre, mais de trouver la nouvelle formule qui conviendra aux circonstances.

À cause de cette durée prolongée, mais aussi à cause d'une période où il y aura absence de points de repère sécurisants, on peut s'attendre à ce que cette façon de procéder soit source d'anxiété. Elle provoquera probablement des réflexions du genre : « on ne sait pas où on va ! » En fait, c'est le signal d'un premier danger, car au-delà d'un certain niveau d'anxiété, il est probable que, par souci d'économie d'énergie, les gens songeront à abandonner l'entreprise de changement pour régresser à la situation antérieure, qui elle, au moins, était connue, donc sécurisante. Il est d'ailleurs vraisemblable que ce phénomène explique bon nombre d'échecs dans des tentatives de changement.

Signalons qu'en général le mode recherche ne pourra pas s'opérer *in abstracto*. L'examen des divers éléments de solution ne pourra se faire, dans la plupart des circonstances, qu'en tenant compte de certains éléments de l'environnement, lesquels éléments pourront avoir pour effet d'imposer ou de restreindre considérablement l'éventail des choix pour le système qui est en train de vivre un changement.

Le mode « identification »

Dans le mode « identification », le système qui change remplace la situation insatisfaisante par une formule qu'il emprunte souvent intégralement à un autre système qui l'a utilisée avec profit. Il s'agit donc d'un processus d'imitation, où les efforts de réaménagement sont minimaux. En caricaturant, on pourrait dire que ce qui importe, ce n'est pas une solution qui corresponde tout à fait à la problématique, mais d'abord une solution de rechange qui ait bien fonctionné ailleurs et qu'on pense pouvoir emprunter et mettre en pratique avec succès.

Ce mode est fréquemment utilisé pour procéder à des changements. On l'observe entre autres chez l'enfant qui imitera ses parents ou des compagnons de jeux.

S'il présente le danger que les formules choisies ne soient pas parfaitement adaptées au besoin, le mode « identification » a cependant l'avantage d'être économique en énergie. Il est en effet plus facile de reproduire une situation connue que d'en inventer une originale. En plus, il est certes moins anxiogène que le mode « recherche », car on n'a pas à explorer dans l'incertitude ; il suffit d'emprunter les points de repère fournis par le modèle choisi. On peut donc s'attendre à ce que ce mode produise plus rapidement des effets que celui de la recherche.

En fait, le danger en ce qui concerne le mode « identification » ne réside pas dans l'identification elle-même, mais dans la possibilité que le modèle emprunté ne corresponde pas tout à fait au besoin de la situation et que le système ne fasse pas l'effort de l'adapter. On a souvent vu, par exemple, ce phénomène chez des adolescents qui systématiquement tentent de reproduire les gestes de leurs idoles, ces gestes étant par ailleurs incompatibles avec leur personnalité. On aura également observé ce phénomène dans certaines organisations où on a tenté d'appliquer une théorie de gestion sans l'adapter aux caractéristiques du milieu.

À certains égards, si le système qui emprunte un modèle est soucieux de l'adapter à ses besoins et à ses caractéristiques, le mode « identification » pourra devenir particulièrement efficace, car il permettra une économie d'énergie et limitera les effets anxiogènes du changement. Habituellement, cette démarche se fera en deux temps. Dans un premier temps, le système empruntera presque intégralement le modèle choisi et, dans un deuxième temps, à la lumière de l'expérience vécue, il retiendra les aspects qui lui conviennent et rejettera les autres, pour les remplacer par de plus satisfaisants. En définitive, il s'agira alors d'une approche qui conjuge le mode de l'identification et celui de la recherche.

Ajoutons que le mode « identification » peut se présenter de deux façons, soit l'identification positive et l'identification négative.

- **L'identification positive**

L'identification positive se présente comme un processus où le système choisit volontairement un autre système comme modèle auquel il veut ressembler. Elle résulte donc d'un phénomène d'attraction, et par conséquent d'un choix volontaire, où l'on postule qu'en reproduisant les méthodes de l'autre système, on en tirera sensiblement les mêmes bénéfices.

- **L'identification négative**

L'identification négative pour sa part se présente également comme un processus où le système décide de se conformer à un modèle, mais cette fois le choix résulte de la nécessité de se plier à certaines contraintes. En d'autres termes, si le système le pouvait il agirait autrement, mais dans la situation où il se trouve, s'il le faisait, il s'exposerait à différentes formes de sanctions.

Une très bonne illustration de ce mode est celui des lois qui limitent la marge de manœuvre des entreprises. Pensons par exemple à certaines lois sur la protection du consommateur. Le plus souvent, les entreprises qui respectent ces lois (donc qui suivent la conduite imposée par la loi) le font non pas par respect pour ces lois, mais dans le dessein d'éviter les sanctions auxquelles elles s'exposeraient autrement.

On l'aura compris, ce mode a généralement pour conséquence que le système n'adoptera que le minimum de changements nécessaires pour se conformer au modèle prescrit.

Signalons que si dans l'identification positive le phénomène joue souvent de façon inconsciente, ici il agit souvent de façon très consciente, voire explicite.

Ainsi, le changement peut s'amorcer à la phase de transition (reconstruction) par deux modes; celui de la recherche et celui de l'identification. Il est évident que, dans la réalité, la plupart des changements recourent à la fois à l'un et l'autre mode, l'un dominant sur l'autre.

En dernière analyse, notons que, dans le mode « recherche », le système en situation de changement est plus sensible au contenu du message (les possibilités) qu'aux sources qui les véhiculent, alors que dans le mode « identification », le système est plus attentif aux sources (le modèle) du message qu'à son contenu.

Tant que dure cette période de transition où se produisent concurremment la désintégration et la reconstruction, le système est en déséquilibre et cherche la « bonne forme », c'est-à-dire une façon de fonctionner qui soit économique en énergie, tout en étant efficace pour composer avec la réalité.

C'est une période où l'on s'initie à de nouveaux modes de fonctionnement par l'exploration et l'expérimentation. Le système est plongé en pleine turbulence: il faut abandonner les anciennes habitudes et en adopter de nouvelles. Bien qu'il puisse être très stimulant, ce stade est généralement difficile: les anciennes pratiques se traduisent par des automatismes et peuvent difficilement être abandonnées rapidement, même dans les cas où elles sont jugées insatisfaisantes par les membres. Toutefois, si elle est bien encadrée, cette période peut devenir une source de grande créativité et de mobilisation. C'est en fait ce que l'on observe dans les situations où le changement est géré efficacement.

Plus la distance entre ce qu'on recherche dans le changement et ce qui existait auparavant est grande, plus ce stade est difficile. Un changement, par exemple, qui se limiterait à modifier un aspect du rôle des agents serait beaucoup plus facile à aborder, et plus tard à assimiler, qu'un projet où l'on chercherait à modifier l'ensemble du fonctionnement d'un service. C'est donc un stade où les indidivus doivent faire des efforts conscients pour s'adapter aux nouvelles façons de faire.

Bien que beaucoup de gens investissent l'essentiel de leurs énergies dans la décristallisation, la phase de la transition est sans doute la plus critique pour le succès d'un projet de changement, car c'est habituellement là que les individus rencontrent le plus de difficultés. En fait, ils sont particulièrement exposés à :

- un degré de fatigue plus élevé ;
- un état de confusion inhabituel ;
- un sentiment d'incompétence plus ou moins prononcé.

Un degré de fatigue plus élevé ? Bien sûr ! L'organisme compte normalement sur ses automatismes pour économiser son énergie. L'adoption d'un comportement nouveau oblige d'abord à lutter contre ces automatismes et ensuite à mobiliser beaucoup d'attention pour exécuter des gestes non familiers. L'existence simultanée de ces deux sources d'effort a pour conséquence d'entraîner une importante surconsommation d'énergie, ce qui cause une grande fatigue chez les membres de l'organisation et se traduit entre autres par une augmentation des congés de maladie, des accidents de travail et des cas d'épuisement professionnel.

Un état de confusion ? Il ne faudrait pas en être surpris ! Les gens s'appuient sur des comportements « appris » pour exécuter leur travail. Leur demander d'adopter de nouvelles façons de faire, c'est leur demander en fait de « désapprendre » et de « réapprendre » ; on se trouve alors dans une sorte d'entre-deux, où le cerveau vit l'expérience de ne plus savoir… Cette situation irrite souvent les gestionnaires, qui estiment que leurs employés font preuve de mauvaise foi ou d'infantilisme. Sans nier qu'il y ait parfois de la mauvaise foi, en règle générale, il s'agit d'une réaction normale et prévisible. On imagine bien que le fait que plusieurs personnes se sentent déroutées peut créer une impression de confusion dans l'organisation.

Bon nombre d'initiatives de changement achoppent là. Parce que l'on observe une confusion croissante, on en conclut à l'inefficacité du changement en cours et on cherche à revenir aux pratiques antérieures. Bien que ce soit parfois le cas, il est généralement trop tôt pour tirer une telle conclusion. Il faut s'efforcer de dissocier les difficultés d'adaptation de l'individu et les effets réels du nouveau mode de fonctionnement sur la performance de l'organisation. Et ces difficultés d'adaptation peuvent durer des mois, parfois même des années.

Au lendemain d'une intervention chirurgicale, conclut-on à l'échec parce que le patient est souffrant ? On lui fournit plutôt un environnement et un encadrement qui réduiront pour lui les difficultés, et c'est après quelques mois que l'on évalue véritablement la réussite de l'intervention.

Cet état de confusion se manifeste de plusieurs façons : ne pas comprendre les explications des promoteurs du changement, oublier des consignes ou des choses à faire, commettre des erreurs dans l'exécution du travail, tout cela engendrant de la frustration et de l'irritation de part et d'autre.

Un sentiment d'incompétence, disions-nous ? Le contraire serait surprenant ! Les individus ont souvent tendance dans les organisations à se valoriser par la compétence qu'ils montrent dans l'accomplissement de leur travail. Lorsqu'on leur demande de faire des choses auxquelles ils ne sont pas habitués, on les expose en fait à des situations pour lesquelles ils ont moins de compétence, ce qui constitue souvent pour eux une expérience désagréable. Cette expérience répétée portera de durs coups à plusieurs, qui seront en manque de «renforcements», sans compter les désagréments d'une certaine inefficacité personnelle. Il ne leur reste qu'un pas à faire pour tenir le changement en cours pour cause de leur désarroi et pour le remettre en question publiquement, ou tout au moins en coulisse.

Et l'efficacité baisse!

Hélas, la combinaison des phénomènes qui viennent d'être énumérés risque d'entraîner une chute de productivité dans l'organisation. C'est un résultat paradoxal, puisque le résultat recherché est évidemment le contraire: améliorer la performance de l'organisation. Cette situation, bien que normale et prévisible, inquiète à juste titre les dirigeants, et il n'est pas rare qu'ils s'impatientent devant de tels résultats.

Bien qu'elle soit compréhensible, cette réaction n'est pas pour autant justifiée. La chute de productivité sera temporaire si la formule adoptée est appropriée et si l'on se donne la peine de «gérer» la période de transition.

Mais gérer quoi? Essentiellement, les trois phénomènes qui viennent d'être exposés, à savoir un degré de *fatigue* plus élevé, un état de *confusion* inhabituel et un sentiment d'*incompétence* plus ou moins grand.

Lorsque le niveau de difficulté devient trop élevé durant la transition, quelles qu'en soient les raisons, la mise en œuvre du changement cesse de progresser. Dans certains cas, l'organisation s'enlise dans une situation de malaise caractérisée par les demi-mesures et les compromis de toutes sortes. Dans d'autres cas, le système amorce une régression vers la situation antérieure au changement, avec la différence toutefois que les gens ont l'impression désagréable d'avoir été les victimes d'une opération mal conçue ou mal dirigée. De plus, ils se fabriqueront une sorte de cuirasse pour résister aux futures propositions de changement…

2.2.4. L'intégration

Lorsque la «bonne forme» de la phase de reconstruction commence à paraître, c'est-à-dire lorsque les nouvelles significations et les comportements qui en découlent se stabilisent, la phase d'intégration (recristallisation) s'enclenche graduellement.

Ici, l'enjeu ne se situe pas entre les anciennes et les nouvelles façons de faire, mais plutôt sur le plan de l'équilibre, de l'harmonie entre la nouveauté et les autres conceptions et pratiques toujours en vigueur dans le système. En d'autres termes, le système recherche la bonne forme en ce qui a trait au cadrage supérieur, celui du fonctionnement d'ensemble du système. Il s'agit en somme des ajustements que le système social doit effectuer par rapport à ses conceptions et pratiques générales pour que la nouveauté puisse s'insérer et qu'un équilibre satisfaisant soit atteint. Cette phase d'intégration se déroule, elle aussi, concurremment et dans une relation dialectique avec la phase avancée de reconstruction.

Les enjeux de cette quatrième phase sont essentiellement des enjeux d'intégration. Cette intégration devra se faire tant sur le plan intrasystémique que sur le plan intersystémique.

L'intégration intrasystémique

L'intégration intrasystémique signifie que le nouveau comportement aura été intégré à l'intérieur du système, c'est-à-dire qu'il aura été « harmonisé » avec les caractéristiques des autres sous-systèmes de façon à éliminer les sources de conflits ou de dissonance. Ce n'est pas parce qu'un système adopte un nouveau comportement que celui-ci peut d'emblée coexister avec les autres composantes du système, il est même possible que ce nouveau comportement soit relativement incompatible avec d'autres sous-systèmes. On a observé, par exemple, qu'il était difficile d'acquérir un style de leadership plus ouvert ou plus démocratique sans en même temps changer sa façon d'entrer en relation avec les gens. Un autre exemple serait celui d'une organisation qui change de mission. Il est évident que la nouvelle mission ne sera enracinée que le jour où elle aura été intégrée aux différentes activités de l'organisation. Il en va de même d'un parti politique qui adopte un nouvel élément dans son programme. Afin d'assurer une certaine cohésion interne, il est important que ce nouvel élément soit articulé par rapport aux grandes orientations du parti. Sinon, il sera rapidement rejeté par la dynamique même du système, qui ne pourra l'incorporer dans ses façons de faire. Nous dirons alors que l'intégration intrasystémique n'a pas été réussie et qu'on n'est pas parvenu à faire vivre l'élément « transplanté » dans le système. Par analogie, on peut penser aux expériences de transplantation d'organes où il faut s'assurer que le nouvel organe soit accepté par l'organisme et que les deux réussissent à s'harmoniser.

Le plus souvent, cette intégration ne se fera pas naturellement et il faudra faire des efforts pour la faciliter. Entre autres, on peut présumer que l'introduction du changement pourra, d'une part, exiger des aménagements au projet initial pour le rendre plus compatible avec les divers sous-systèmes et, d'autre part, amener des changements dans ces sous-systèmes afin qu'ils s'ajustent aux caractéristiques du nouveau comportement. Ainsi, dans une organisation où l'on déciderait d'établir l'horaire flexible, on peut prévoir que la mobilité permise ne sera pas absolue, étant donné les exigences de contrôle, et qu'en même temps ces exigences seront elles-mêmes modifiées dans une certaine mesure.

L'intégration intersystémique

L'intégration intersystémique par ailleurs pose la question de savoir jusqu'à quel point le système qui a changé sera désormais soutenu par les autres systèmes avec lesquels il est en contact.

Pensons à l'exemple du fumeur qui cesse de fumer. Comment son environnement réagira-t-il ? S'il vit en couple, est-ce que son conjoint qui n'a pas cessé de fumer le soutiendra ? Quant au cadre qui expérimente une nouvelle façon d'être en relation avec ses subordonnés, comment réagiront les autres cadres de l'organisation ? Par rapport à l'administrateur d'un CLSC[3] qui tente une nouvelle expérience, comment se comporteront les autres membres du réseau des affaires sociales de la région ? L'intégration intersystémique sera réussie dans la mesure où le système qui vit le changement aura réussi à intégrer l'élément nouveau dans ses rapports avec son environnement.

Cette phase d'intégration, que ce soit sur le plan intrasystémique ou intersystémique est cruciale, car c'est d'elle que dépend en bonne partie la survie du changement. Si l'entourage ou les caractéristiques du système ne soutiennent pas les nouveaux comportements, on peut craindre que ceux-ci ne soient pas intégrés et qu'ils tendent à être abandonnés avec le temps. Nous dirons alors que le système régresse à un stade antérieur et que l'intégration systémique n'est pas réussie.

Cette reconstruction-intégration correspond à la période de recristallisation. Les nouvelles pratiques deviennent plus naturelles, elles « s'harmonisent » avec les autres dimensions du quotidien et font désormais de plus en plus partie des habitudes. C'est essentiellement une période d'ajustement. Les anciennes pratiques sont presque oubliées et on commence à maîtriser les nouvelles ; ce seront bientôt des automatismes. On cesse de se référer au passé et on ne parle plus du changement.

Ainsi, une expérience de changement se déroulerait selon un processus continu de déconstruction-reconstruction du sens opérant en quatre grandes phases qui s'alimentent dans une suite de boucles de rétroaction, jusqu'à ce qu'une bonne forme apparaisse. Elles s'enchevêtrent dans le temps et il devient difficile de déterminer quand l'une s'achève alors que l'autre s'est déjà enclenchée.

Ces phases ne doivent donc pas être vues dans une perspective chronologique, mais plutôt dans une perspective dialectique, comme des types différents d'activité mentale, pouvant opérer concurremment, le tout relevant d'un fonctionnement systémique, et surtout ni linéaire ni mécaniste.

---

3. Centre local de services communautaires.

2.3. Les implications pour l'agent de changement

Les mécanismes que nous venons de présenter conditionneront les chances de succès de l'entreprise de changement et l'agent de changement devra les prendre en considération dans ses actions.

Pour qu'il y ait un minimum de réceptivité au changement, l'agent devra s'assurer que le système social visé présente l'un ou l'autre des déclencheurs de changement. L'absence de source réelle d'énergie déclencheuse de changement permettrait de prédire l'échec à plus ou moins court terme de la tentative de changement. Dans ces conditions, l'agent pourrait cependant convenir dans un premier temps de créer ou de favoriser l'émergence de l'un ou l'autre des déclencheurs de changement. Par exemple, on pourrait accroître le niveau d'insatisfaction des gens pour mieux faire sentir la nécessité du changement. C'est là une tactique fréquemment utilisée par des groupes militants. Ou encore, on pourrait s'employer à montrer en quoi la vie serait améliorée si le changement était introduit.

En ce qui concerne la désintégration, l'agent aura avantage à être attentif au degré d'anxiété que son projet de changement risque de provoquer, sinon il pourrait se produire un effet « boomerang », c'est-à-dire que les gens changeront, mais dans la direction opposée à celle recherchée. En fait, il est souvent difficile de changer une situation satisfaisante pour les gens, puisque le changement se fait rarement dans le confort. Tout changement, toute transition s'accompagne nécessairement d'une certaine dose d'anxiété. Le changement lui-même provoque cette anxiété, cette inquiétude ; toutefois, il existe un niveau optimum qui permet au changement de se concrétiser. En effet, si la charge d'anxiété est minimale, insuffisante, le système, qu'il s'agisse encore une fois d'une personne, d'un groupe ou d'une organisation, ne sera pas incité à changer. Si, par contre, la charge d'anxiété est trop importante, il est possible, voire même probable, que le système ne réussisse pas totalement sa désintégration et préfère revenir en arrière et reprendre ainsi le comportement connu, les attitudes habituelles, rassurantes et satisfaisantes plutôt que d'aller plus avant dans une entreprise qui lui semblerait être une source d'anxiété considérable.

Un souci d'économie de l'énergie affective fera alors que le système choisira la voie qui lui demande le moins d'énergie, qui génère le moins d'anxiété. Si les gages de succès de l'entreprise de changement apparaissent considérables et si l'on entrevoit des gains psychologiques ou matériels d'envergure, il est vraisemblable que le système sera disposé à tolérer une plus grande charge d'anxiété. Si le changement n'apporte que des gains minimes et des retombées plutôt marginales, le système aura un seuil de tolérance à l'anxiété beaucoup plus bas. Il s'agira donc d'un choix, plus ou moins conscient, pour la solution qui semble la plus économique en terme d'investissement d'énergie affective par rapport aux gains présumés de l'investissement.

Ainsi, les agents de changement font-ils fausse route quand ils tentent de provoquer une charge d'anxiété trop importante chez le destinataire, car cela amènera un retour aux attitudes premières quand l'agent de changement aura terminé son intervention. Lorsque l'agent de changement tente de confronter le système et d'induire la charge d'anxiété nécessaire au changement, celui-ci peut se cristalliser davantage autour du comportement connu et résister ainsi très efficacement aux exhortations souvent passionnées de l'agent de changement.

Les mêmes considérations s'appliquent à la phase de transition-reconstruction, où l'on aura avantage à faciliter l'étude et l'expérimentation dans un climat où l'on accepte les erreurs et offre suffisamment de sécurité, de façon à limiter les tendances à la régression. Par ailleurs, il ne faudrait pas interpréter toute tendance à la régression comme négative ou comme indice d'échec. Un épisode de régression peut parfois être salutaire à l'entreprise de changement, car il peut permettre aux gens de diminuer leur charge d'insécurité et aussi d'avoir plus de recul pour évaluer le chemin parcouru, et peut-être encore de mieux voir les avantages du changement en cours.

Enfin, en ce qui concerne l'intégration, l'agent aura intérêt à faire en sorte que le changement soit effectivement intégré à l'intérieur du système et dans l'environnement du système. Cela signifie entre autres que l'agent ne se contente pas d'amorcer le processus de changement, mais qu'il le suive de près jusqu'au jour où il sera bien établi.

2.4. Le *zeitgeist*

Zeitgeist est une expression allemande qui signifie littéralement « esprit du siècle ». Nous l'utilisons ici pour signifier qu'une époque peut être mûre pour un type de changement. Ainsi, plus un changement s'inscrira dans le *zeitgeist*, plus l'environnement micro ou macrosocial tendra à le soutenir et à le favoriser, ce qui le rendra plus facile à implanter.

À l'inverse, si un changement ne s'inscrit pas dans le *zeitgeist*, il pourra être plus difficile à implanter, surtout s'il va à contre-courant. À la limite, l'agent pourra en être réduit à créer ce *zeitgeist*, c'est-à-dire agir pour que se développe un climat qui facilitera ensuite la venue du changement qu'il veut promouvoir. Par exemple, dans les années soixante, les propagantistes des systèmes antipollution auraient été soit ignorés, soit tournés en dérision. Aujourd'hui, on leur porte une oreille attentive ; l'époque est mûre pour accueillir leurs idées.

2.5. L'opportunité d'entreprendre un changement

Le *zeitgeist* fait référence au fait qu'un système peut être plus ou moins bien disposé à accueillir une idée nouvelle. Toutefois, en plus du contexte général, l'agent de changement devra se soucier d'évaluer si le moment est opportun pour mettre en œuvre le changement qu'il projette[4]. Ici, il faut entendre moment opportun au sens où les conditions propices sont réunies pour amorcer et poursuivre un projet de changement. Ainsi, il se pourrait qu'on trouve dans un système donné quelques sources réelles de changement, mais que le moment ne soit pas opportun pour agir, car le climat général est trop détérioré pour espérer que le projet soit appuyé sur des bases solides. Ou encore, bien que des sources de changement soient perceptibles, il se pourrait qu'un système dispose de trop peu d'énergie pour investir dans le processus et la démarche de changement.

Questions-guides

1. *Y a-t-il des sources d'énergie décelables qui pourraient favoriser le changement dans le système ?*
    a) *Si oui, lesquelles ?*
    b) *Sinon, est-il possible d'en faire émerger ?*
2. *S'il y a des sources d'énergie déclencheuses de changement, quel mode pourrait être privilégié pour faciliter le processus :*
    La recherche ?
    L'identification positive ?
    L'identification négative ?
3. *Le* zeitgeist *semble-t-il avantager ou désavantager l'entreprise de changement envisagée ?*
4. *À quels dispositifs pourrait-on penser pour assurer l'intégration du changement :*
    À l'intérieur du système ?
    Dans l'environnement ?

4. Des auteurs américains ont utilisé l'expression *readiness* pour rendre compte de cet aspect. Au sens littéral, cette expression signifie « être prêt à ».

CHAPITRE 3

LA PRÉPARATION DU CHANGEMENT

Planifier, c'est augmenter son propre pouvoir
en tentant de prédire et de contrôler l'incertitude.
Robert Schneider

Dans ce chapitre, nous allons esquisser les principales composantes de la démarche de préparation d'un changement organisationnel. Plus loin, ces composantes seront explorées en détail. En outre, on trouvera en annexe une démarche type qui résume et articule les différentes actions à mener dans une démarche complète.

3.1. Une définition

On peut définir la préparation d'un changement organisationnel comme :

> un effort conscient en vue de changer une situation considérée comme insatisfaisante, au moyen d'une série d'actions dont le choix et l'orchestration découlent d'une analyse systématique de la situation.

Il se dégage de cette définition qu'on parle de changement planifié lorsque les actions qui sont menées pour produire un changement résultent d'une réflexion systématique sur la situation concernée. De façon plus précise, dans la tradition nord-américaine, l'expression « changement planifié » suppose que la réflexion n'a pas porté uniquement sur le contenu de la situation insatisfaisante, mais également sur les différents processus du système social concerné.

Ainsi, il ne suffit pas que l'on ait défini un calendrier des différentes modifications à introduire dans l'environnement pour qu'on puisse parler de changement planifié. Il faut que ce calendrier d'introduction soit issu d'une analyse rigoureuse de la situation insatisfaisante et que cette analyse tienne compte des différents processus qui l'accompagnent dans l'environnement social.

Par *situation insatisfaisante*, nous entendons l'objet particulier qui pose problème et auquel on désire apporter des correctifs. On parlera aussi du *contenu* du changement pour désigner la même réalité. Par *processus*, nous entendons les phénomènes et façons de faire qui ont cours dans l'environnement social. Cette distinction est très importante, car la dynamique du changement s'opère toujours en fonction de ces deux tableaux, et l'agent de changement qui néglige l'un ou l'autre néglige une partie importante de la réalité, avec la conséquence que son intervention pourra en souffrir. En fait, nous avons observé que plusieurs agents de changement se préoccupent beaucoup du *contenu* du changement et peu du *processus*. Ils s'intéressent aux solutions visant les problèmes décelés, mais consacrent trop peu de temps à comprendre les processus sociaux qui agiront au moment de l'application des solutions, de sorte qu'ils ont relativement peu de maîtrise sur l'introduction de ces solutions, si valables soient-elles. Souvent, les projets les mieux planifiés ne produiront pas les fruits attendus, parce que l'agent a négligé de porter attention aux processus humains, qui sont les véritables déterminants d'une véritable intégration du changement proposé.

Par exemple, si l'on désirait changer les méthodes de travail dans un service donné, le contenu du changement serait les méthodes de travail, alors que le processus serait le climat dans le service, les types de relations entre les différents acteurs, les normes qui sont propres au système, les mécanismes habituels de prise de décision, le contexte général qu'on observe au moment de l'introduction du changement, etc. Dans un autre exemple où, dans un quartier donné, on voudrait amener la population à participer davantage à la vie municipale, le contenu du changement ferait référence à une participation accrue et le processus engloberait le contexte politique ambiant, la culture et les traditions des habitants du quartier, les caractéristiques de la structure municipale, les relations entre les acteurs, les conceptions qu'on se fait de la notion d'autorité, etc.

Ajoutons que le contenu du changement n'est pas forcément réductible à un objet matériel. Le contenu est l'objet du changement et, par conséquent, peut très bien être un processus particulier du système, si ce processus constitue une situation insatisfaisante. Cette distinction « contenu du changement vs processus » sera utilisée tout au long du présent ouvrage.

Ceux qui connaissent les théories et les auteurs en « développement des organisations » peuvent facilement être amenés à confondre le changement organisationnel et le développement des organisations. En effet, la littérature nord-américaine sur le changement planifié ou le changement organisationnel a largement été produite par des auteurs identifiés au développement organisationnel[1]. Ceux-ci sont probablement d'ailleurs ceux qui ont le plus travaillé à systématiser les outils pour la démarche du changement organisationnel. Malgré cette filiation, les deux courants sont néanmoins différents et la pratique du changement organisationnel n'est pas l'apanage des praticiens du DO.

Alors que le DO s'inspire d'un système de valeur particulier et privilégie certaines approches par rapport à d'autres, la pratique du changement organisationnel ne préjuge pas d'une option valorielle *a priori*, mais insiste sur la nécessité d'une préparation systématique et lucide des projets de changement.

Par exemple, celui qui userait de moyens répressifs pourrait prétendre faire du changement organisationnel dans la mesure où son intervention s'appuierait, d'une part, sur une analyse circonstanciée des variables du système social qu'il vise et, d'autre part, s'articulerait à l'intérieur d'un scénario, qui, d'une action à l'autre, conduit à l'objectif poursuivi. Et pourtant, la répression n'est pas une approche privilégiée en développement organisationnel.

Si les auteurs nord-américains n'ont pas inventé la pratique du changement organisationnel, ils ont cependant le mérite d'avoir attiré l'attention sur les phénomènes psychosociaux qui sont en cause à chaque fois qu'on tente de modifier l'une ou l'autre des composantes d'un système social. Cette préoccupation a permis de dégager des éléments qu'il faut considérer quand on veut agir avec lucidité sur les environnements humains. Cette préoccupation s'articule d'ailleurs dans une démarche qui se veut aussi systématique que possible.

---

1. Le développement des organisations (DO) est un modèle d'intervention auprès des organisations qui, en s'appuyant sur différentes théories des sciences humaines et sociales, propose une vision des organisations, laquelle vision privilégie un système de valeurs particulier. Le lecteur trouvera une source d'information appréciable sur le sujet dans *Changement planifié et développement des organisations*, Tessier et Tellier, 1973, 1992.

3.2. La préparation du changement dans un environnement en mouvement

Ainsi, la pratique du changement organisationnel se caractériserait par deux aspects. Premièrement, un intérêt pour les phénomènes psychosociaux qui se manifestent à l'occasion d'une tentative de changement. Deuxièmement, le souci de suivre une démarche de préparation des actions qui laisse le moins de choses possible au hasard. On est donc loin de ce qu'on pourrait appeler le changement accidentel ou spontané.

On pourrait arguer qu'il est illusoire, voire fantaisiste de prétendre « planifier » des actions de changement dans une société aussi imprévisible, aussi complexe et parfois aussi turbulente que la nôtre. On pourrait prétendre que cela équivaut à vouloir diriger la trajectoire d'un ouragan.

Certes, nous vivons dans une société où rien n'est moins sûr que le lendemain et où, de mois en mois, on vogue d'un imprévu à un autre. Tous les systèmes sociaux en sont affectés, aussi petits soient-ils. Toutefois, il nous semble qu'il est probablement plus opportun que jamais de faire preuve de rigueur et de lucidité. S'il est devenu difficile d'appréhender avec justesse l'avenir à moyen terme, il est sûrement plus facile de prévoir le court terme. De court terme en court terme, on aura réussi à se rapprocher du long terme, et des actions à court terme bien menées ne pourront qu'avoir une influence sur le long terme. En fait, si l'on choisit de négliger la planification des entreprises de changement, on se trouve à choisir, au mieux un demi-succès, au pire un échec. Au contraire, se donner des impératifs de planification, même dans un système turbulent, augmente tout au moins nos chances d'atteindre nos objectifs, et ainsi nous donne un peu plus de pouvoir sur l'environnement. Dans un sens, une qualité que l'agent de changement doit développer dans un tel contexte, c'est d'être capable de mener une entreprise de changement dans un environnement imprévisible, en sachant lire le quotidien et en s'ajustant aux aléas des situations.

Profitons de l'occasion pour préciser qu'en parlant de préparer ou de planifier un changement organisationnel, on ne dit pas qu'il faut agir seulement quand tout a été prévu, selon un scénario immuable, après avoir considéré tous les facteurs présents dans le contexte. Ce serait illusoire. Dans l'esprit du changement organisationnel planifié, il faut plutôt entendre qu'à chaque fois qu'une action est menée, on doit s'assurer qu'elle découle d'une analyse éclairée de la situation, et qu'elle contribue à nous rapprocher de l'objectif poursuivi.

Inutile d'ajouter que l'individu qui manifesterait un souci exagéré de planification s'exposerait à l'inaction, car, à la limite, le processus de collecte de données et d'analyse peut être tellement long que ses conclusions pourraient être dépassées au moment de les utiliser, sans compter que la prise en compte d'un trop grand nombre de facteurs peut conduire à un sentiment d'impuissance, faute de déterminer d'abord quels sont les facteurs les plus importants.

Il faut retenir que la démarche du changement organisationnel invite à acquérir un souci de rigueur et de rationalité dans ses actions, ce qui est tout à fait différent de la rigidité.

3.3. La démarche du changement

En appuyant nos actions sur une démarche systématique, l'intention est de rapprocher nos ambitions de la réalité, du vécu quotidien. Les idées et idéaux ne peuvent avoir d'impact significatif sur le réel que dans la mesure où ils sont utilisables dans ce réel, sans quoi ils risquent de demeurer à l'état de rêve. La méthode du changement organisationnel planifié se veut un outil qui, en opérationnalisant les intentions de changement, permet d'en vérifier le réalisme et les limites, en même temps qu'il facilite le choix des moyens à prendre.

La démarche du changement organisationnel peut se structurer autour de quatre grandes étapes :

1. le diagnostic de la situation insatisfaisante ;
2. la planification des actions ;
3. l'exécution du plan d'action ;
4. l'évaluation des résultats obtenus.

Spécifions qu'il ne s'agit pas ici d'étapes complètement indépendantes des quatre phases vécues par les destinataires du changement, dont nous avons parlé au chapitre précédent. Ce sont des étapes, des points de repère autour desquels l'agent de changement organisera ses actions, se donnant ainsi les moyens de progresser vers les objectifs poursuivis.

3.3.1. Le diagnostic de la situation insatisfaisante

L'étape du diagnostic inclut toutes les activités qui visent à fournir une vision claire de la situation insatisfaisante, de façon à ce qu'on puisse l'aborder de façon lucide et réaliste.

Les trois principales activités du diagnostic sont :

1. la collecte de données sur la situation ;
2. l'interprétation des données ;
3. la mise en relief des éléments les plus révélateurs et les plus significatifs.

Il faut noter que *diagnostic* n'est pas employé ici dans le sens médical du terme : le diagnostic n'est pas un rapport qui présente les conclusions de l'analyse. Ici, il faut voir le diagnostic comme une série d'activités qui permettront d'avoir une vision plus claire de la situation. L'expression a donc un sens dynamique plutôt que statique. Le diagnostic n'est pas qu'un rapport final, il englobe toute la démarche de clarification de la situation.

Dans la pratique, cette étape se déroule souvent en deux temps : l'analyse préliminaire et l'analyse stratégique. L'analyse préliminaire permet, avant tout, de préciser la cible et de s'assurer que le moment est propice pour agir sur la situation.

Quant à l'analyse stratégique, elle pousse beaucoup plus loin le diagnostic de la situation, en s'intéressant de façon méthodique aux caractéristiques internes de l'organisation ainsi qu'aux conditions environnementales de l'organisation. Fort d'une telle analyse, l'agent sera mieux en mesure d'établir sa stratégie d'action.

Dans la perspective du changement planifié, le diagnostic de l'agent ne devrait jamais être considéré comme terminé. Dans la mesure où il est rare qu'on puisse prétendre avoir une perception complète et exacte de la réalité, il est souhaitable que l'agent conserve une attitude ouverte quant à ses perceptions, de façon à les ajuster tout au long de la démarche. De plus, sachant que la réalité des systèmes sociaux est en mouvement continuel, l'agent aura avantage à être attentif à ces mouvements, de façon à maintenir à jour sa connaissance de la situation insatisfaisante. On l'aura compris, le fait de rester continuellement en état de diagnostic permet de toujours mieux adapter ses actions aux circonstances. Il vaut sûrement mieux corriger certains éléments d'une planification juste avant l'action, que de regretter des gestes après coup, faute de ne pas avoir eu une attitude suffisamment ouverte aux fluctuations de la réalité.

Certes, il serait surprenant que sur de courtes durées, les fluctuations de la situation en cause soient telles qu'elles obligent à reprendre l'ensemble du diagnostic. Le plus souvent, il ne s'agit que de corrections à apporter. Dans le même esprit, il faut considérer qu'à l'intérieur de la démarche, les différentes actions déjà menées peuvent avoir eu un impact non négligeable sur la situation, ce qui obligera à modifier la perception en conséquence. Par exemple, le fait de recueillir des données auprès des gens visés par le changement peut avoir pour effet de les rendre plus méfiants, inquiets, ou encore plus réceptifs au changement, et le diagnostic doit alors en tenir compte.

Un diagnostic complet devrait normalement comporter les éléments suivants :

- définir la situation insatisfaisante et déterminer en quoi elle l'est ;
- constater les écarts entre la situation insatisfaisante et la situation désirée ;

- expliquer ces écarts ;
- tenir compte des liens et des impacts réciproques entre le système concerné et son environnement ;
- établir la perception que les gens touchés ont de la situation ;
- déceler les sources d'énergie et les déclencheurs favorisant le changement ;
- tenir compte des ressources disponibles dans le système ;
- tenir compte des ressources et des biais de l'agent de changement ;
- considérer la conjoncture générale ;
- évaluer la perméabilité du système au changement.

En outre, une situation insatisfaisante dans un système organisationnel peut souvent s'expliquer de diverses façons. Aussi, pour être utile, le diagnostic doit s'attarder aux facteurs sur lesquels l'agent de changement est capable d'agir, en plaçant par ailleurs les autres facteurs en toile de fond pour lui permettre d'avoir une meilleure perspective de l'impact possible.

Par exemple, il se pourrait bien qu'un facteur explicatif important dans un problème donné soit la domination et l'exploitation d'une classe sociale par une autre, ou encore les tendances actuelles en Occident dans la gestion du personnel. Sans vouloir discuter de la validité de ces éléments de diagnostic, il convient de reconnaître qu'à court terme, l'agent de changement a peu de prise sur eux. Il n'est pas capable d'agir en n'utilisant que cette partie de son analyse. Aussi, le diagnostic devra-t-il porter surtout sur les informations utilisables afin d'éviter que l'agent soit submergé sous une masse d'informations peu différenciées.

Les activités de diagnostic toucheront à deux niveaux de la réalité : le *contenu* de la situation insatisfaisante et les *processus* qui l'accompagnent. De façon générale, les principaux instruments utilisés pour procéder au diagnostic sont le modèle du champ de forces de Kurt Lewin[2], le processus rationnel de solution de problème (PSP) ainsi que certaines grilles d'analyse de la psychologie sociale, dont les théories sur les groupes, les attitudes et la motivation. On trouvera à la figure 3.1 une illustration qui synthétise les activités liées au diagnostic.

C'est donc dire que les activités de diagnostic devraient s'appuyer sur deux préoccupations fondamentales : d'une part, procéder à une étude systématique de la situation insatisfaisante de façon à trouver des solutions appropriées ; d'autre part, procéder à une étude des processus pour en dégager les particularités et ainsi faire appel à des moyens et des modalités d'action adéquats.

2. Kurt LEWIN, *Field Theory in Social Science*, New York, Harper, 1951.

FIGURE 3.1
Schéma-synthèse sur le diagnostic

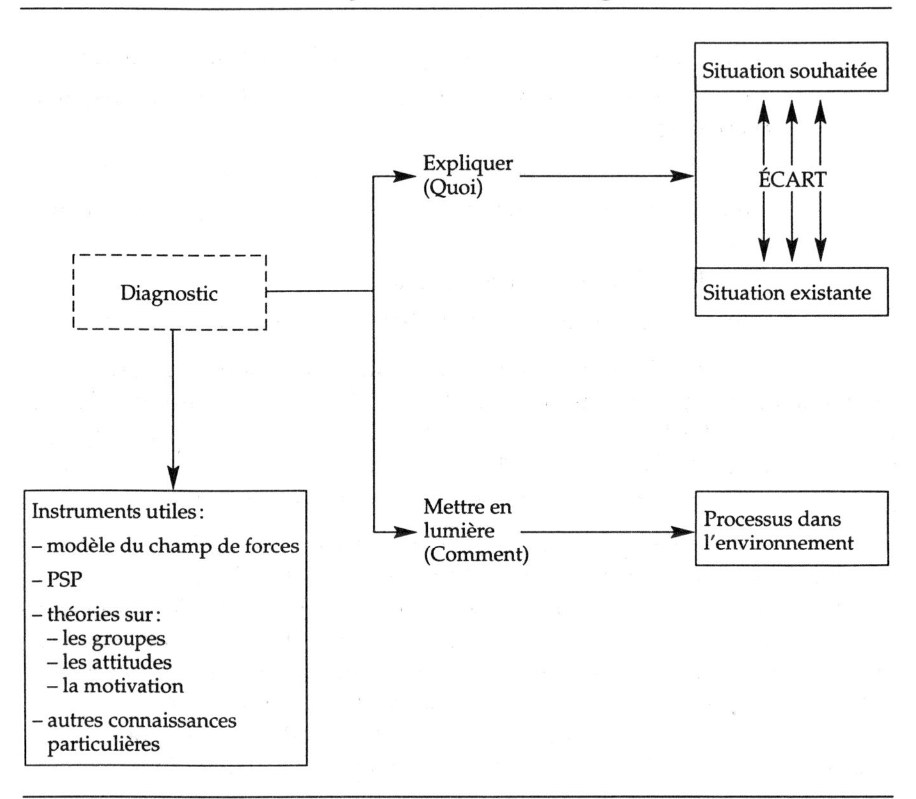

3.3.2. La planification de l'entreprise de changement

La planification, c'est l'étape où l'agent de changement choisit et élabore les moyens appropriés pour agir sur la situation qu'il veut changer.

Il va de soi que le choix des moyens d'action devrait normalement avoir été fait en fonction des différents éléments qui auront été mis en relief lors du diagnostic. Si l'agent ne se soucie pas de s'appuyer sur les éléments dégagés à cette étape, celle-ci n'aura été qu'un exercice intellectuel vain et les moyens d'action ne seront pas adaptés aux choses à modifier.

Alors que le diagnostic se caractérise par la recherche, l'analyse, la réflexion et le questionnement, la planification se caractérise par la préparation, la conception et la décision.

Les principales activités de la démarche de planification sont les suivantes :

- la définition des objectifs ;
- l'élaboration des stratégies ;
- le choix des moyens d'action ;
- la désignation des acteurs concernés par l'action ;
- l'établissement d'un plan d'action ;
- la conception et la préparation des outils nécessaires à l'action ;
- la conception et l'élaboration des instruments de contrôle et d'évaluation.

Dans le domaine du changement organisationnel, très souvent la planification a un caractère stratégique, d'où le fait qu'on parle fréquemment de « planification stratégique ». Dans nos sociétés nord-américaines, on a souvent conféré une signification négative au terme « stratégie », en l'associant spontanément aux notions de clandestinité et de manipulation. Si ces deux façons de faire sont des types de stratégies, il serait faux de conclure que toute stratégie constitue un exercice de manipulation. Nous nous étendrons plus loin sur la notion de stratégie. Pour l'instant, nous nous contenterons de dire qu'élaborer une stratégie, c'est d'abord choisir, entre plusieurs moyens, ceux qui dans le contexte apparaissent comme les plus efficaces au regard de l'objectif poursuivi et du contexte particulier. C'est ensuite aménager ces moyens entre eux de façon à ce qu'ils produisent l'effet recherché. Par exemple, choisir de faire participer les gens à la recherche d'une solution constitue une stratégie, car on aura probablement présumé qu'ainsi la solution trouvée sera meilleure, ou encore qu'elle sera plus facile à appliquer.

Il n'est pas étonnant, donc, que l'élaboration d'une stratégie constitue souvent une opération centrale dans le travail de planification. Une fois la stratégie esquissée, c'est souvent elle qui conditionne le choix des moyens d'action et l'orientation du plan d'action.

Tout comme l'agent doit adopter une attitude ouverte à l'égard du diagnostic, il doit être prêt à reconsidérer les différents éléments de sa planification si le contexte change ou si certaines actions s'avèrent infructueuses par rapport aux prévisions. C'est là un indice important de la souplesse requise dans la planification d'un projet de changement organisationnel.

D'ailleurs, la planification, et plus spécialement la stratégie, doit être envisagée comme une hypothèse de travail qu'il faut régulièrement réévaluer au contact de l'expérience. En effet, lorsqu'on décide d'un plan d'action donné, c'est avec l'impression plus ou moins assurée (selon la confiance qu'on a dans les résultats de son diagnostic) que les moyens et la séquence choisis permettront d'atteindre les objectifs poursuivis. Or, il se peut très bien qu'au cours de la démarche, on s'aperçoive que ce n'est pas le cas. Il faut alors remettre en question son hypothèse et reconsidérer son plan d'action pour lui donner une orientation mieux adaptée aux dernières considérations.

Prenons le cas d'un projet où l'on voudrait agir sur un problème d'alcoolisme qui sévirait dans l'organisation. Imaginons qu'on ait observé à l'étape du diagnostic que les personnes alcooliques sont des gens qui ont un grand besoin de se confier, et que pour satisfaire ce besoin, on ait décidé de mettre en place un service de consultation individuelle, avec toute la discrétion voulue. Si, à l'expérience, peu de personnes alcooliques recouraient à ce service, on pourrait alors conclure qu'on a surévalué l'intensité du besoin de se confier chez ces personnes, ou que d'autres facteurs sont au moins aussi importants, ou encore que ce besoin demande à être satisfait de façon différente. Il faudrait donc réévaluer le plan d'action à cause d'une erreur de diagnostic.

Tout comme pour le diagnostic, la planification porte sur deux niveaux : celui du *contenu* du changement et celui des *processus* dans l'environnement.

En ce qui a trait au *contenu*, on veillera à clarifier les composantes des solutions trouvées, à concevoir et à élaborer les outils ainsi que les instruments nécessaires pour pouvoir appliquer ces solutions. Par exemple, il pourrait s'agir de concevoir les outils qui accompagnent un nouveau mode de production ou encore de préparer les ouvrages et les méthodes didactiques qui seront utilisés dans une nouvelle approche pédagogique. En d'autres termes, on pourrait dire qu'il faut être créateur, qu'il faut savoir innover.

En ce qui concerne le *processus*, on tentera de trouver la façon d'introduire et d'implanter la solution qui soit la plus satisfaisante et la plus efficace. Ainsi, on cherchera à définir la durée sur laquelle l'action s'étendra, à désigner les acteurs avec qui il faudra traiter, à définir les approches qu'il faudra privilégier. En d'autres termes, il s'agit de l'introduction du changement.

Reprenons encore une fois l'exemple du projet mené auprès de personnes alcooliques et posons qu'on a choisi d'organiser des rencontres régulières où l'on aidera les gens à s'entraider dans la voie de la sobriété. En ce qui concerne le *contenu*, on devra préparer des guides d'information, des techniques d'autocontrôle, des règles de vie à suivre, des ressources médicales, des régimes alimentaires, des données scientifiques sur les causes de l'alcoolisme et les différentes façons de l'éliminer, etc. En ce qui a trait au *processus*, on devra prévoir des approches qui faciliteront l'acceptation des moyens proposés, qui mettront les gens en confiance avec les agents, qui les inciteront à poursuivre leur démarche, etc.

Prenons un autre exemple, la réingénierie d'une organisation. Pour ce qui est du *contenu*, on devra acquérir des connaissances sur l'approche, on devra également adapter l'approche à l'organisation, construire ou trouver les différents outils qui seront utilisés, définir des procédures à suivre pour la mise en place de la nouvelle approche, etc. Quant au *processus*, on devra choisir des méthodes adaptées pour présenter le projet au personnel, prévoir des mécanismes pour le renseigner et le former sur la nouvelle façon de faire, penser à des ressources pour aider les gens à s'adapter, prévoir un calendrier transitoire qui permettra graduellement d'abandonner l'ancienne façon de faire, etc.

Ainsi, la planification posera les deux questions qui suivent et qui sont schématisées à la figure 3.2 :

- pour ce qui est du contenu : comment opérationnaliser la solution ?
- pour ce qui est du processus : comment implanter la solution dans le système ?

FIGURE 3.2
Schéma-synthèse sur la planification

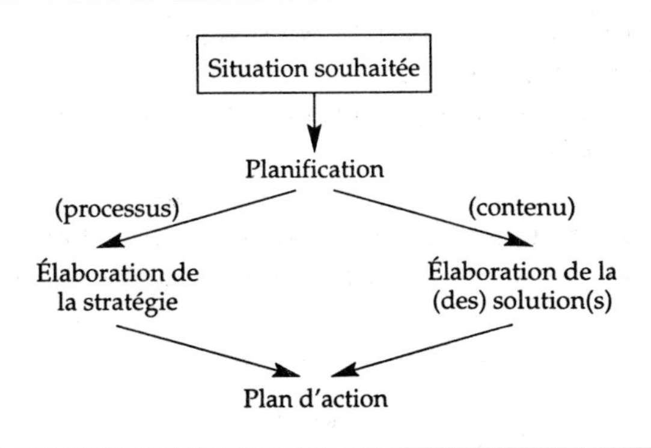

Pour terminer, signalons une dernière particularité de la planification. Dans un monde aussi mouvant que le nôtre, il est presque utopique de vouloir articuler une planification définitive dans une perspective à long terme. Plusieurs événements peuvent survenir au cours de la démarche, qui ébranleront le plan d'action. Par conséquent, il serait probablement plus réaliste de concevoir, d'une part, un plan d'action bien articulé pour le court terme (c'est habituellement l'espace de temps qu'on peut le mieux prévoir) ; d'autre part, un plan d'action qui, pour le moyen terme, prévoie les principales actions à mener, sachant que celles-ci devront être réévaluées et précisées le moment venu, et enfin un plan d'action, qui, pour le long terme, relève des types d'actions ou des orientations qu'il faudra considérer lorsqu'on se rapprochera de cette échéance.

Dans cette perspective, la planification, tout comme le diagnostic, prend l'allure d'une activité continue qui, si elle laisse des ouvertures pour l'avenir éloigné, cherche à être aussi systématique que possible pour l'avenir rapproché. On devra donc souvent se contenter d'un plan d'action général pour le long terme, mais on veillera à bien articuler les échéances à court terme.

La figure 3.3 montre que plus on se rapproche d'une échéance, plus le plan d'action doit être précis, alors qu'on peut se permettre d'avoir un plan moins précis pour les échéances plus lointaines. Imaginons par exemple que chacun des trois temps indiqués dans la figure corresponde au scénario qui suit :

Dans un centre hospitalier où l'on voudrait, à long terme, implanter un nouveau plan de soin, on pourrait avoir le calendrier d'action suivant :

9 février :

- choisir le nouveau plan de soin
- penser à une éventuelle méthode d'expérimentation du plan
- songer à une stratégie d'implantation généralisée

7 mai :

- expérimenter un modèle en pédiatrie et en cardiologie, avec rencontres quotidiennes d'ajustement
- penser à une série de rencontres d'information pour former le personnel

15 septembre :

- établir un calendrier des sessions de formation pour l'ensemble du personnel, en vue de la généralisation du nouveau plan de soin.

FIGURE 3.3
L'évolution d'une planification dans le temps

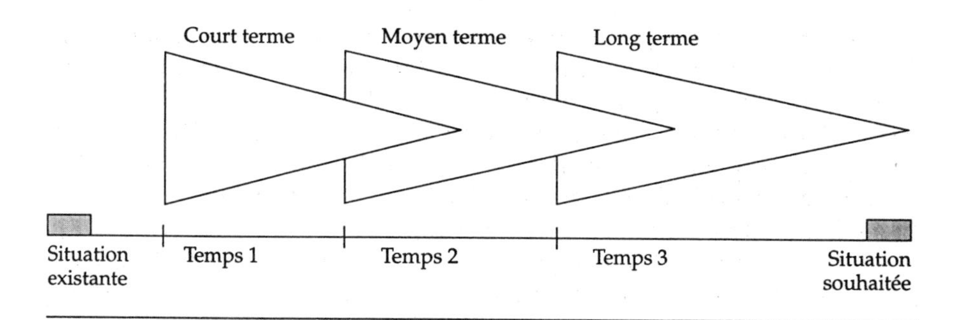

3.3.3. L'exécution du plan d'action

L'exécution, comme on s'en doute, est le moment où l'on met en œuvre le plan d'action qui a été tracé.

Dans la mesure où l'on est conscient que le diagnostic a pu laisser des zones d'ombre dans la perception de la situation et dans la mesure où l'on a considéré la planification comme une hypothèse de travail, on comprend que l'exécution prend d'une certaine façon la forme d'un expérimentation, où le degré de succès varie selon les circonstances. En plus des lacunes ou des qualités du diagnostic et de la planification, qui pourront conditionner les chances de succès, il faut également compter sur la plus ou moins grande habileté de ceux qui exécuteront le plan d'action.

Soulignons que pour soutenir l'exécution, il serait sage de prévoir des mécanismes de gestion du changement afin d'assurer un encadrement efficace du système qui sera touché, ainsi que des mécanismes de contrôle qui permettront de vérifier périodiquement si le plan d'action est respecté et si l'expérience quotidienne indique qu'on est en voie d'atteindre les objectifs. Si tel n'est pas le cas, il faut alors reconsidérer diagnostic et planification afin de corriger la trajectoire.

3.3.4. L'évaluation des résultats

L'évaluation soulève principalement les deux questions qui suivent: dans quelle mesure les actions engagées ont-elles permis d'atteindre les objectifs poursuivis, et quels sont les facteurs qui sont la cause de ce résultat. L'évaluation consiste donc à décrire les résultats obtenus, à les mettre en relation avec les objectifs qu'on s'était fixés, et à chercher les facteurs ou phénomènes qui expliquent ces résultats.

D'une certaine façon, l'évaluation constitue un nouveau diagnostic, car elle fournit un nouveau portrait de la situation et, le cas échéant, elle décrit l'écart qui pourrait subsister entre la situation existante et la situation souhaitée.

Dans le cas où les objectifs ne seraient pas entièrement atteints, l'agent de changement devra choisir entre différentes possibilités, l'une de celles-ci étant de modifier ses objectifs pour se contenter du résultat obtenu, une autre étant d'élaborer une nouvelle planification pour poursuivre la démarche de changement.

Ainsi, l'évaluation servira à deux fonctions. D'une part, elle amènera à tracer un bilan de l'entreprise de changement et, d'autre part, elle fournira de l'information pour décider si la démarche doit être interrompue ou poursuivie.

Ici encore, l'évaluation se situera aux deux plans : *contenu* du changement et *processus*. Au plan du contenu, on cherchera à savoir si les solutions choisies étaient appropriées pour corriger la situation insatisfaisante. Pour ce qui est du processus, on se demandera si les approches, les stratégies, les moyens utilisés pour introduire le changement étaient adéquats.

Imaginons par exemple qu'à cause de la diminution de la clientèle étudiante, les administrateurs d'une commission scolaire décident de réaménager le fonctionnement d'une école sans faire participer les enseignants et les parents. Six mois plus tard, lors de l'évaluation, les administrateurs concluent que le changement est effectivement implanté et que les économies prévues pourront se matérialiser. Toutefois, ils concluent également que l'approche utilisée a causé beaucoup d'inquiétudes, d'insatisfactions, de querelles qui ont consommé une grande quantité d'énergie, de temps et d'argent, et que l'on aurait peut-être pu éviter ces difficultés en procédant autrement, sans compter que le climat du système social s'est détérioré et qu'il faudra plusieurs mois avant qu'il se rétablisse. Ainsi, au plan du contenu, l'objectif aurait été atteint, mais au plan du processus, on aurait observé une détérioration significative.

3.4. La notion de phase ou d'étape

Au chapitre précédent, pour parler d'éveil, de désintégration, de reconstruction et d'intégration, nous avons utilisé l'expression *phase*, de préférence à *étape*. Par contre, pour parler de diagnostic, de planification, d'exécution et d'évaluation, nous avons plutôt utilisé le terme *étape*.

Dans un cas comme dans l'autre, il s'agit d'abord d'une convention langagière. Nous utilisons de préférence l'expression *phase* lorsque nous parlons du processus de changement, de ce qui est vécu par les destinataires, de ce qui est en évolution. Le vécu quotidien s'accommoderait assez mal d'une vision linéaire, d'un cloisonnement chronologique qui suppose qu'une action ne peut être amorcée si une autre n'est pas terminée, comme on le voit dans les diagrammes d'étapes successives (*flow chart*).

La réalité du changement organisationnel, dans son vécu quotidien, serait incompatible avec une telle conception, puisqu'à n'importe quel moment un individu ou un groupe peut revenir à un état antérieur. En d'autres circonstances, il peut s'agir d'un vécu qui associe, en parallèle, des activités qu'on voudrait regrouper dans des étapes distinctes et successives.

Quand nous utilisons le terme d'*étape* pour parler de la démarche du changement, nous ne voulons pas insister sur l'aspect chronologique qui y est rattaché, mais un peu, tout de même, sur l'aspect successif qui relève de l'effort de structuration et de planification du changement souhaité. La notion d'*étape* n'exige pas qu'on voie une succession d'activités organisées selon un schéma rigide, comportant un début et une fin immuables. On peut facilement imaginer une situation où le diagnostic n'étant pas terminé, on engagerait déjà certaines activités de planification pour opérationnaliser des actions qui demanderont un certain temps avant de produire leurs effets chez les destinataires du changement.

En fait, à la limite, on pourrait dire que ces quatre étapes, au-delà de toute démarche ordonnée, correspondent d'abord et avant tout à des types d'activités mentales et motrices différentes. Dans cet esprit, il faut envisager la démarche du changement planifié davantage comme une façon de travailler que comme une procédure à suivre point par point.

FIGURE 3.4
Les phases et les étapes du changement

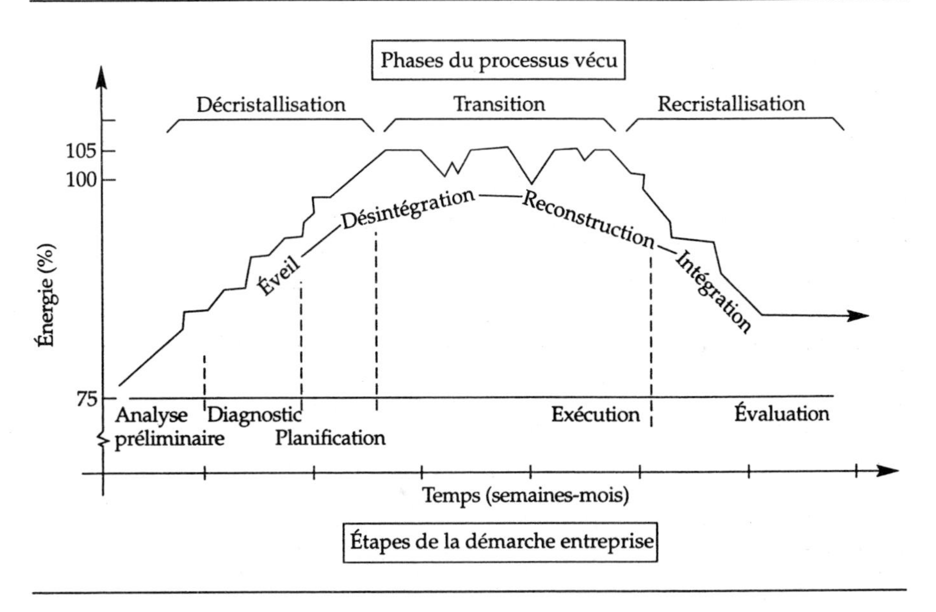

3.5. Le caractère micro et macroscopique de la démarche de changement

Jusqu'ici, le déroulement du changement organisationnel planifié (intégrant l'attention au processus et l'attention au contenu) a été présenté de façon globale et macroscopique, en ce sens qu'on a proposé une démarche structurée de changement selon quatre grandes étapes. Toutefois, il ne s'agit là que d'une façon de présenter une démarche de changement et celle-ci peut et doit même être utilisée autant à une échelle macroscopique que microscopique. En effet, à chaque fois qu'à l'intérieur du scénario d'action on aura à mettre en œuvre une activité, on pourra s'inspirer de cette démarche pour la préparer. En d'autres termes, pour chaque activité significative prévue, on pourra procéder aux opérations de diagnostic, de planification, d'exécution et d'évaluation.

De cette façon, la démarche globale d'introduction d'un changement se présente comme une succession de cycles d'implantation, l'évaluation de chaque activité alimentant le diagnostic et la planification de la suivante. D'ailleurs, insistons pour bien différencier l'*action* de l'*exécution*. L'exécution, c'est l'étape où l'on procède à l'application des solutions élaborées au moment de la planification. L'action, c'est une activité qui modifie le système social dans le cadre de la démarche. Par exemple, le fait de procéder à un sondage, à l'étape du diagnostic, constitue une action dans le cadre du système social à ce moment précis. Procéder à un autre type de sondage au moment de l'évaluation finale, serait en quelque sorte une action similaire, exécutée à une autre étape.

On trouve une représentation schématique de la démarche du changement planifié à la figure 3.5.

FIGURE 3.5
La démarche du changement

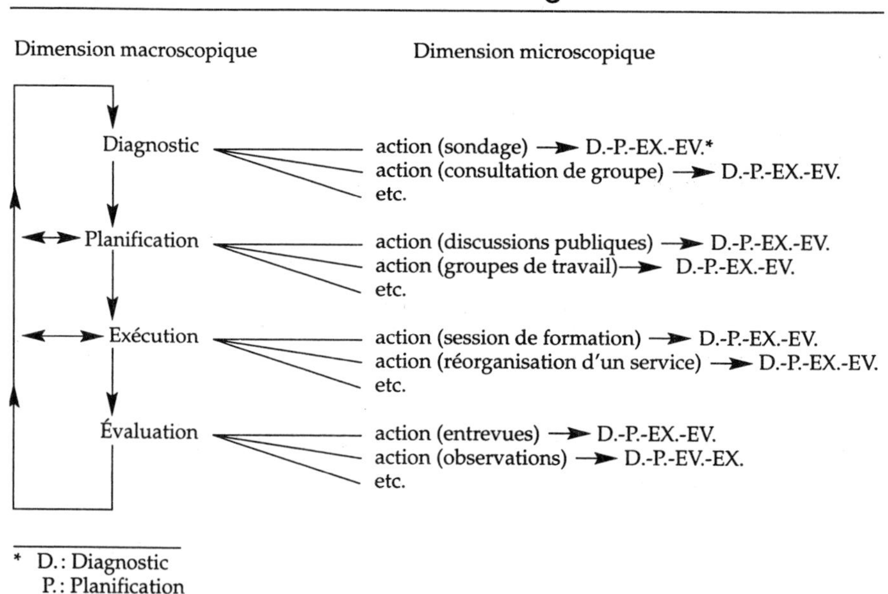

3.6. Le changement et l'innovation

Enfin, terminons ce chapitre par la distinction qu'il faut établir entre *changement* et *innovation*. L'innovation est l'action de trouver, de découvrir, d'inventer quelque chose de nouveau par rapport à un environnement donné ou un problème quelconque, souvent à partir d'un processus de résolution de problème plus ou moins systématique. En soi, donc, l'innovation ne constitue pas une intervention sur le système social ou organisationnel. C'est une activité qui, à la limite, peut se faire sans interaction directe avec le système. Le changement est par ailleurs l'*implantation* de l'innovation, ce qui suppose qu'il faut agir sur le système social.

Par exemple, le fait d'élaborer une nouvelle méthode de production peut constituer une innovation, mais celle-ci ne sera pas considérée comme projet de changement social tant qu'on n'aura pas manifesté l'intention de l'implanter. Lorsqu'on manifeste une telle intention, on commence à véhiculer un désir de changement social dans l'organisation, et on peut alors faire appel à la démarche du changement planifié pour implanter cette innovation que constitue la méthode de production en question.

Le changement organisationnel planifié constitue donc en quelque sorte un instrument qu'on peut utiliser pour introduire des innovations, en mettant l'accent sur la démarche à suivre et les processus à respecter pour maximiser ses chances de succès dans l'implantation.

Toutefois, le changement organisationnel ne commence pas seulement au moment de la mise en œuvre du plan d'action. En effet, on peut recourir à la démarche du changement organisationnel dès le moment où l'on définit le problème par rapport auquel on veut innover dans le système social. Par exemple, lorsque l'on procède de façon méthodique en s'intéressant aux processus en cause dans l'organisation, il arrive souvent que l'on décide d'associer les destinataires du changement à la réflexion dès les premiers moments. Dans un tel cas, les raisons suivantes militent en faveur de la participation dès le début des destinataires du changement :

1. on peut souhaiter associer les destinataires à la définition du problème et à la recherche de solutions afin que plus tard ils se perçoivent comme partenaires du changement plutôt que victimes ;
2. on peut souhaiter profiter de la connaissance que les destinataires ont du problème pour avoir une vision plus vaste et plus éclairée de la situation insatisfaisante ;
3. on peut souhaiter profiter de la participation des destinataires pour trouver de meilleures solutions ;

4. on peut souhaiter associer les destinataires au choix de la solution pour s'assurer qu'elle soit compatible avec les caractéristiques du système.

Donc, si l'innovation et le changement organisationnel ne sont pas du même ordre, on pourra cependant recourir à la démarche du changement organisationnel planifié durant le processus d'innovation pour en faciliter l'implantation.

CHAPITRE 4

LA FORMATION DES ATTITUDES ET LEUR CHANGEMENT

Changer, c'est souvent détruire ce qui existe, du moins en partie, pour ensuite se permettre de construire autre chose.

Derrière la plupart des comportements sociaux, on trouve un certain nombre d'attitudes qu'entretiennent les individus. Quand on veut modifier des comportements, directement ou indirectement, on essaie donc, sans toujours en être conscient, de changer les attitudes qui les sous-tendent. C'est pourquoi il nous apparaît important d'expliquer quelques concepts relatifs à la formation et au changement des attitudes pour aider l'agent de changement à avoir une compréhension plus éclairée des phénomènes sur lesquels il agit. Ces concepts devraient d'ailleurs permettre de mieux saisir la nature des résistances au changement. Loin de prétendre être exhaustif, ce chapitre s'attarde aux notions les plus utiles pour les personnes qui s'intéressent au changement.

4.1. Les attitudes et les valeurs

Nous allons d'abord clarifier les notions de *valeur* et d'*attitude*, celles-ci étant différentes, quoique liées.

On peut définir l'attitude comme étant une prédisposition à réagir d'une façon positive ou négative à l'égard de différents aspects de l'environnement. L'attitude correspond en quelque sorte à la réaction spontanée qu'a un individu face à un objet ou à une situation donnée : j'aime – je n'aime pas ; je suis attiré – je suis repoussé ; ça me plaît – ça me déplaît ; j'admire – je rejette.

On dit de l'attitude qu'elle est une prédisposition à réagir, en ce sens qu'elle ne reflète pas nécessairement le comportement qu'aura l'individu mais qu'elle exprime la réaction intérieure quasi automatique qui sera déclenchée chez lui, d'où une certaine constance. On dit également qu'elle est une prédisposition à réagir de façon positive ou négative à l'égard de différents aspects de l'environnement, parce que la réaction qu'elle exprime témoigne de l'appréciation qu'en fait l'individu. Par exemple, celui ou celle qui a des attitudes défensives à l'égard de la gestion participative ressent sensiblement la même réaction intérieure de méfiance chaque fois que ce sujet est évoqué. Donc cette attitude est non seulement constante, mais exprime une appréciation. Une attitude peut être décrite et mesurée de façon impressionniste ou de façon rigoureuse ; le lecteur intéressé à la mesure des attitudes pourra consulter la figure suivante.

FIGURE 4.1
La mesure des attitudes

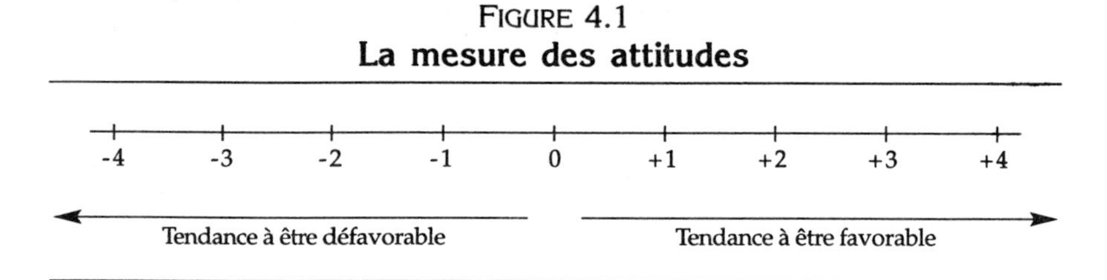

Quant à la valeur, il s'agit d'une croyance, d'une philosophie relative aux façons d'être et d'agir dans son environnement. C'est une façon de concevoir les choses telles qu'on souhaiterait qu'elles se passent. En fait, le plus souvent, on parle de système de valeur chez un individu ou un groupe pour cerner l'ensemble de ses croyances. On dit par exemple de quelqu'un qu'il a des valeurs humanistes pour signifier qu'il croit en la possibilité et la nécessité de faire la promotion du respect de la personne humaine dans la société.

Habituellement, deux caractéristiques distinguent la notion d'attitude de la notion de valeur. Alors que la valeur a une portée plutôt générale, l'attitude est très proche de l'action et par conséquent elle est plus circonscrite. Alors que la valeur a un caractère abstrait, l'attitude renvoie à des réalités concrètes. Il existe néanmoins un lien d'interdépendance entre les attitudes et les valeurs, les premières étant largement conditionnées par les secondes.

4.2. La nature des attitudes

On considère généralement que les attitudes sont formées de trois composantes interdépendantes : une composante cognitive, une composante affective et une composante comportementale[1].

4.2.1. La composante cognitive

La composante cognitive d'une attitude correspond aux idées que nous entretenons à l'égard de l'objet de l'attitude, ainsi qu'aux informations dont nous disposons sur cet objet et qui viennent alimenter nos idées. Par exemple, les idées que quelqu'un entretient à l'égard de la cigarette constituent la composante cognitive de son attitude à l'égard du tabagisme : cette personne peut croire que l'usage de la cigarette est nocif pour la santé (plus ou moins) ou elle peut être convaincue qu'il n'y a là aucun danger. On parle de composante cognitive, car ce type de connaissance est lié à l'intelligence, aux structures d'acquisition des connaissances. Ainsi, la composante cognitive d'une attitude est appuyée sur la qualité, la quantité et la « crédibilité » de l'information détenue par rapport à l'objet concerné.

4.2.2. La composante affective

La composante affective correspond aux émotions, aux sentiments éprouvés à l'égard de l'objet concerné et qui s'expriment en termes de « j'aime – je n'aime pas », « plaisant – déplaisant », etc. Par exemple, quand quelqu'un dit qu'il n'aime pas le travail de groupe et qu'il exprime par là une « sensation vécue » (par opposition à une croyance), c'est la composante affective de son attitude à l'égard du travail de groupe qui se manifeste.

4.2.3. La composante comportementale

La composante comportementale de l'attitude correspond à la prédisposition à agir d'une façon donnée face à l'objet de l'attitude. Par exemple, celui qui aurait une attitude négative à l'égard du travail de groupe devrait normalement manifester des comportements d'évitement ou de fuite lorsque ces occasions se présentent. La composante comportementale se situe donc sur le plan des gestes que l'individu est spontanément porté à poser face à l'objet de son attitude. Ajoutons que le comportement observé ne correspond pas toujours à la composante comportementale, car différents motifs peuvent amener l'individu à agir autrement qu'il en aurait envie.

1. D. KRETCH, R.S. CRUTCHFIELD et E.L. BALLACHEY, *Individual in Society*, New York, McGraw Hill, 1962, p. 140.

4.2.4. La nature systémique d'une attitude

Les trois composantes d'une attitude, loin de constituer des réalités isolées, sont au contraire en interaction et en interdépendance les unes avec les autres, ce qui nous amène à dire qu'elles fonctionnent de façon systémique : ce sont trois sous-systèmes du système « attitude ».

On aura compris qu'étant en interaction, les trois composantes s'influencent mutuellement, pour ainsi se renforcer ou être en conflit. De plus, selon les cas, l'une ou l'autre des composantes pourra faire figure de dominante, c'est-à-dire avoir plus d'influence, de poids que les autres.

Ces notions sont d'une grande importance pour l'agent de changement, car elles lui indiquent que pour avoir une influence significative sur les attitudes des destinataires du changement, il aura avantage à agir le plus possible sur les trois composantes, à savoir les croyances, les sentiments et les dispositions à l'action. Une action sur une seule des trois composantes pourrait avoir un impact limité à cause de l'influence des deux autres.

4.3. Quelques caractéristiques des attitudes

4.3.1. La consonance des attitudes

Dans le chapitre sur le modèle systémique, nous avons déjà parlé de la tendance à l'homéostasie. Dans le domaine des attitudes, on parlera de consonance pour traduire le même phénomène.

Les attitudes étant en relation d'interdépendance, elles tendraient à atteindre un certain état d'harmonie entre elles de façon à procurer à la personne une impression d'équilibre au moins tolérable, sinon satisfaisant. Cette harmonie s'obtiendrait par l'atteinte d'une certaine compatibilité entre les attitudes, qu'on appelle consonance. Ainsi, des attitudes sont consonantes lorsqu'elles ne sont pas contradictoires entre elles, allant parfois même jusqu'à se renforcer les unes les autres.

L'être humain est ainsi fait qu'en général, il préfère et recherche la détente psychologique plutôt que l'anxiété. C'est ainsi qu'il cherchera à adopter des attitudes consonantes et par conséquent à éviter les situations qui compromettraient cette consonance. C'est d'ailleurs cette tendance qui rend souvent le changement d'attitude long et difficile, autant pour l'agent que pour les destinataires. En effet, comme nous l'avons vu dans le chapitre sur le modèle systémique, une action sur une attitude vient menacer la tendance à l'homéostasie (consonance) de l'ensemble du système et générera à coup sûr des résistances qui exprimeront la volonté de maintenir l'état d'équilibre existant.

Il faut remarquer que cet état de consonance n'est pas toujours atteint de façon satisfaisante et que souvent, l'individu a des attitudes conflictuelles ou peu compatibles. Lorsque l'individu en est conscient, cette situation crée un état d'inconfort chez lui. C'est ce qu'on appelle « la dissonance cognitive ». Au-delà d'un certain seuil, l'individu sera incité à trouver des moyens pour réduire cette dissonance. Dans certains cas, il fera en sorte de rendre ses attitudes plus consonantes en changeant l'une ou l'autre. Dans d'autres cas, il s'emploiera à trouver des arguments convaincants qui lui permettront de faire coexister les attitudes en question sans vivre de tension.

Imaginons par exemple que je sois particulièrement soucieux de ma santé physique et que, par ailleurs, je sois un grand consommateur d'alcool. Lorsque je deviens conscient de cette contradiction, je ne peux éviter de me sentir tiraillé. Je peux alors soit abandonner l'alcool, soit cesser de valoriser la santé. Ou encore, ce qui sera peut-être plus facile, je peux me mettre à croire que l'alcool n'est pas vraiment nocif pour la santé, que ce seul écart par rapport à ma norme est largement compensé par toutes les autres précautions que je prends, que j'ai un organisme particulièrement tolérant à ce produit, ou tout simplement « qu'il faut bien mourir de quelque chose », comme le dit le dicton populaire. Quoi qu'il en soit, j'aurai trouvé un moyen de réduire l'inconfort résultant de la dissonance cognitive, sans avoir à changer mon comportement.

4.3.2. La consistance des attitudes

On dira des attitudes qu'elles sont consistantes lorsque les trois composantes des attitudes seront convergentes, c'est-à-dire s'exprimeront sensiblement de la même façon par rapport à un objet. Plus les composantes cognitive, affective et comportementale d'une attitude seront conflictuelles entre elles par rapport à un objet donné, moins l'attitude sera consistante.

Quelqu'un qui se sentirait facilement coupable lorsqu'il n'est pas occupé à un travail quelconque (composante affective), qui en plus aurait tendance à organiser sa vie en fonction du travail (composante comportementale), mais qui, par ailleurs, tendrait à présenter le travail (composante cognitive) comme quelque chose d'inutile, d'aliénant, de marginal dans la vie d'une personne, ferait évidemment preuve d'un degré de consistance faible dans son attitude face au travail.

Ajoutons que, souvent, le degré de consistance des attitudes est lié directement à son degré d'extrémisme : plus les attitudes sont extrêmes, plus elles ont de chances d'être consistantes.

4.3.3. Le système d'attitudes et son environnement

La formation d'une attitude n'est pas dissociable de l'environnement où évolue l'individu. Toujours dans la perspective systémique, on peut dire que les attitudes d'une personne forment un système en interaction avec les autres systèmes ambiants, et par conséquent qui est forcément affecté par les particularités de ces autres systèmes, dans une recherche d'équilibre satisfaisant (consonance).

Ainsi, non seulement les attitudes tendent à être en consonance interne (au sein du système d'attitudes), mais également elles vont tendre à être en consonance avec leur environnement. De cette tendance, il résultera une «négociation» avec l'environnement où, d'une part, l'individu verra ses attitudes influencées par le milieu et où, d'autre part, l'individu tentera dans la mesure du possible de trouver ou de s'aménager un environnement qui soit suffisamment compatible avec les attitudes qu'il aura adoptées. En d'autres termes, l'individu se cherche un environnement (culturel et physique) qui soutienne ses attitudes, en même temps que l'environnement a pour effet de renforcer certaines attitudes particulières et d'en décourager d'autres.

Ce phénomène se manifeste de façon particulièrement évidente dans les groupes qui ont une culture assez homogène. Le groupe adoptera des normes, le plus souvent implicites, mais claires, qui auront pour effet d'indiquer les attitudes à privilégier et celles à éviter. Ces normes résulteront habituellement des attitudes qu'ont déjà les membres influents du groupe et auront pour effet d'attirer des gens qui partagent ces attitudes et de repousser ceux qui ne s'y reconnaissent pas. Le membre d'un tel groupe qui, pour différentes raisons, aurait des attitudes trop éloignées de ces normes pour s'y sentir à l'aise aurait alors comme choix soit de modifier ses attitudes, soit d'essayer de changer les normes du groupe, soit de se trouver un environnement qui lui serait mieux adapté (à moins bien sûr que cette personne n'éprouve un malin plaisir à vivre dans un climat constant de confrontation).

Par exemple, on verra rarement un individu qui valorise au plus haut point l'honnêteté et l'intégrité, fréquenter assidûment un clan de fraudeurs, à moins qu'il n'ait délibérément décidé d'essayer de changer ces derniers.

Un indice intéressant de ce phénomène est que, très souvent, des gens qui vivent un changement ont du mal à maintenir les anciennes relations d'amitié et expriment le besoin de se trouver de nouveaux amis, qui eux les appuieront, ne serait-ce qu'au plan des habitudes, dans la direction des changements auxquels ils veulent procéder.

Ajoutons enfin que ce besoin de s'éloigner d'un environnement donné variera en fonction du degré de tolérance de celui-ci vis-à-vis de la déviance.

4.3.4. Le caractère fonctionnel des attitudes

Comme nous venons de le voir, la présence d'un système d'attitudes particulier n'est pas le fruit du hasard, mais constitue en bonne partie une réponse d'adaptation[2] aux diverses pressions de l'environnement, lesquelles pressions d'ailleurs commencent dès le bas âge.

Ainsi, les attitudes ont-elles eu, au moment de leur formation tout au moins, un caractère fonctionnel, c'est-à-dire qu'elles ont servi à combler un besoin. Au moment où l'on observe une attitude donnée, il est possible qu'elle ne soit plus fonctionnelle, car le contexte peut avoir changé, mais elle risque de s'être imprimée profondément dans la personnalité de l'individu à l'époque où elle était fonctionnelle.

Par exemple, il ne faudrait pas s'étonner que celui ou celle qui a grandi dans un milieu criminel entretienne longtemps des attitudes profondes de méfiance, même s'il vit dans un contexte où cela n'est plus fonctionnel.

On peut signaler quelques motifs ou situations qui, dans la vie d'une personne, peuvent entraîner le développement fonctionnel de certaines attitudes :

- maintenir un contact minimal avec les autres ;
- entretenir une relation psychologiquement ou physiquement tolérable avec les membres de sa famille ;
- maintenir son intégrité personnelle face aux pressions psychologiques de son milieu ;
- vouloir être accepté par les enfants de son quartier ;
- avoir grandi dans un milieu économiquement favorisé ;
- ne jamais avoir été exposé à l'insécurité dans son éducation ;
- avoir été exposé à un type d'information donné, etc.

Pour l'agent de changement, cet aspect n'est pas négligeable, car lorsqu'il tente de changer une attitude, il est probablement en train de menacer un mécanisme d'adaptation créé au prix d'efforts et de sacrifices, en même temps qu'il exige de la personne qui change de faire une nouvelle lecture, d'avoir une compréhension renouvelée[3] des caractéristiques de son environnement, ce qui demande beaucoup d'énergie.

---

2. Ici, il faut entendre *adaptation* au sens d'adopter des moyens permettant de fonctionner de façon satisfaisante dans l'environnement, et non pas au sens d'accepter inconditionnellement de subir les contraintes de l'environnement.
3. C'est d'ailleurs ce qui fait dire à Edgar Schein que le changement s'accompagne d'une redéfinition cognitive, *cf.* « The Mechanisms of Change » *in* W.C. Bennis, K.D. Senne, R. Chin (eds.), *The Planning of Change*, New York, Holt, Rinehart and Winston, 1969.

4.4. Le changement des attitudes

Les attitudes, considérées comme traces durables résultant des expériences de l'individu, tendent à rétrécir, à conserver et à stabiliser l'univers de ce dernier. Mais les êtres humains ne peuvent pas vivre une vie complètement autistique, dans un monde de leur propre création. Le monde « extérieur » est en mouvement, et tous les êtres humains, à des degrés divers, réagissent aux changements qui les touchent dans leur milieu. En essayant de s'adapter à ce monde changeant, ils se voient en train de changer leurs attitudes, avec facilité ou difficulté, avec beaucoup de réceptivité ou beaucoup de résistance[4].

Les attitudes ne sont pas cristallisées, figées pour l'éternité. De la même façon qu'elles se sont développées, elles peuvent changer, en réponse ou en réaction à diverses influences, incitations, circonstances.

Dans le cadre d'une entreprise de changement, l'agent de changement aura avantage à s'intéresser aux attitudes présentes dans le système social, que ce soit pour agir directement sur elles, s'il le faut pour atteindre l'objectif de changement, ou que ce soit pour être plus lucide quant à la part d'influence qu'elles auront dans la dynamique du changement. Il pourra alors avec plus de certitude déterminer les chances de succès de son plan d'action, en même temps qu'il sera mieux avisé dans le choix et l'aménagement des moyens d'action.

En fait, il pourra prendre en considération un certain nombre de facteurs qui auront une plus ou moins grande valeur de prédiction quant aux possibilités et aux limites du changement projeté. Pour ce faire, il devra examiner ces facteurs sur deux plans : celui de la dynamique interne du système d'attitudes et celui de la dynamique externe entourant le système d'attitudes.

4.4.1. Les facteurs internes au système d'attitudes

Le caractère extrémiste

En général, plus une attitude est extrémiste, c'est-à-dire située à un extrême ou l'autre de l'échelle d'attitude, plus elle est difficile à changer dans le sens

4. D. KRECH, R. CRUTCHFIELD et E. BALLACHEY, *Individual In Society*, New York, McGraw-Hill, 1962, p. 215 (traduction des auteurs).

inverse[5]. Si on traçait une échelle d'attitude à l'égard de la participation aux décisions, on pourrait obtenir l'échelle qui suit :

Très antipathique	1	2	3	4	5	Très sympathique

Selon une telle échelle, il est probable qu'il serait difficile de faire passer quelqu'un du point 1 au point 3 ou du point 5 au point 3, car on s'adresserait à des attitudes extrémistes. À l'inverse, il devrait être plus facile de faire passer quelqu'un du point 3 aux points 2 ou 4, ou encore du point 2 au point 1 et du point 4 au point 5. Les stratèges politiques ont compris ce phénomène. En temps d'élection, ils s'emploient, d'une part, à influencer ceux qu'on appelle les indécis et, d'autre part, à retenir ceux qui leur sont déjà sympathiques.

Une autre façon d'aborder ce facteur est de dire que plus l'attitude est extrémiste, plus il faudra investir de temps et d'énergie pour la changer, en acceptant à l'avance que l'ampleur du changement puisse être faible.

La consonance dans le système d'attitudes

Plus une attitude sera en état de consonance ou d'harmonie avec les autres attitudes du système, plus on peut prévoir qu'elle sera difficile à changer, car on tenterait alors d'introduire un déséquilibre dans l'ensemble du système, source d'inconfort pour l'individu.

Si une attitude est en dissonance avec le système d'attitudes, elle devrait être relativement facile à changer pour la rendre plus consonante avec le reste du système, car cet état de dissonance crée probablement déjà chez la personne un certain déséquilibre qu'elle cherchera vraisemblablement à diminuer. En fait, les autres sous-systèmes exercent déjà une pression sur elle afin de la rendre plus conforme.

La consistance du système d'attitudes

Plus une attitude ou un système d'attitudes sera consistant, plus il risquera d'être difficile à changer et, à l'inverse, moins il sera consistant, plus il devrait être facile à changer. Nous l'avons déjà dit, il sera avantageux pour l'agent de changement d'agir sur les trois composantes de l'attitude pour, d'une part, avoir plus d'impact sur l'attitude et, d'autre part, pour faire en sorte que la nouvelle attitude adoptée soit assez consistante et plus durable.

---

5. On peut ici parler de changement incongruent, c'est-à-dire qui s'effectue en direction inverse de sa tendance initiale. Lorsqu'une attitude change dans la direction de sa tendance initiale, donc se renforce, on parle de changement congruent.

Ainsi, l'agent pourra agir sur la composante cognitive (information appropriée), sur la composante comportementale (vivre une expérience concluante par rapport à l'objet du changement) et sur la composante affective (adopter des normes et des valeurs consonantes).

Il faut dire que dans le cas d'une attitude inconsistante, il sera plus facile à l'agent d'amener un changement qui aura pour effet de rendre l'attitude plus consistante dans sa tendance initiale (changement congruent) que de la faire changer en direction inverse.

Le caractère fonctionnel des attitudes

Plus une attitude est fonctionnelle par rapport à son environnement, plus il sera difficile de la changer. En effet, il faudrait que la personne accepte de se mettre en situation de conflit ou de déviance par rapport à son environnement, avec le risque de se priver d'un certain nombre de gratifications et de mécanismes de survie, pour finalement augmenter son exposition au stress. Il serait illusoire par exemple de demander à quelqu'un qui vit dans un milieu de criminels de ne pas être méfiant, la méfiance étant essentielle à la survie dans un tel milieu.

Par contre, il devrait être plus facile de changer une attitude devenue dysfonctionnelle par rapport à l'environnement ambiant, car cette attitude est désormais en dissonance et il est probable qu'elle subit déjà des pressions des autres sous-systèmes pour devenir plus conforme.

4.4.2. Les facteurs externes au système d'attitudes

La source du message de changement

Diverses études ont démontré que la crédibilité accordée à la source d'un message modifie directement le degré d'influence de ce message. Ainsi, plus celui qui véhicule l'idée du changement est estimé des destinataires, plus il aura d'influence sur eux et, à l'inverse, moins il sera estimé, moins il aura d'influence, même s'il ne produit pas l'influence contraire à celle recherchée. Les sociétés de publicité l'ont d'ailleurs fort bien compris et tentent systématiquement d'associer les produits à des idoles, spécialistes et symboles sociaux auxquels les gens cherchent à s'identifier.

Est-ce à dire que si un message de changement est véhiculé par un agent peu ou pas crédible, il n'en résulte aucune influence ? Pas nécessairement. Malgré l'effet produit par la source du message, on peut compter sur « l'effet de sommeil ». Cet « effet de sommeil » se manifeste de la façon suivante : avec le temps, le récepteur d'un message en vient à dissocier la source et le message. La conséquence de cette dissociation est que, même si la source demeure peu crédible, le message à la longue peut quand même produire un certain effet.

Par exemple, si nous écoutons à la télévision un discours livré par le chef d'une formation politique rivale, il est probable que nous ne serons que très peu influencés par ce discours. À cause de l'effet de sommeil, il est toutefois possible que certains arguments avancés se mettent à germer dans notre esprit quelque temps après, lorsque l'auteur du discours aura cessé d'être associé dans notre esprit au contenu du discours.

On peut sans doute trouver là la raison pour laquelle tant de politiciens s'efforcent continuellement d'associer des idées adverses à des personnes rivales !

Quoi qu'il en soit, l'effet de sommeil demeure fragile, car aussitôt que l'on est remis en contact avec la source du message, l'association entre les deux réapparaît.

Le médium ou la méthode pour véhiculer le message de changement

Le médium utilisé pour exprimer un message de changement peut avoir un effet analogue à la source du message. En effet, selon le groupe que l'on vise, certains média auront une influence positive, d'autres nulle ou négative. C'est un peu le sens de la formule de Marshall McLuhan : « Le médium est le message ». Ainsi, quand on utilise un vocabulaire raffiné avec des gens peu scolarisés, même si ceux-ci comprennent le vocabulaire utilisé, il est possible qu'on ait peu d'influence sur eux, car ce langage témoigne d'une culture différente de la leur, de sorte que ce qu'ils enregistrent, c'est davantage l'écart culturel que le contenu du message. C'est ce qu'on appelle un phénomène de métacommunication.

On a souvent observé par exemple que les personnes qui ont suivi des sessions en relations humaines, ou qui sont très sensibles aux relations humaines, ont tendance dans un cours à réagir négativement à un exposé sur bande vidéo. Sans nier la valeur de l'exposé, elles reprochent au médium utilisé d'être trop froid, trop impersonnel, de ne pas permettre d'interaction avec le présentateur pour faciliter les apprentissages. Pour ce groupe de personnes, on peut dire que le médium était mal choisi, car il créait un effet de distanciation.

Les enseignants ont souvent pu vivre des expériences similaires. Ainsi, il n'est pas rare dans une classe d'observer que les étudiants sont plus influencés par l'image et le comportement du professeur que par ce qu'il dit.

On peut enfin présumer que le même effet se produira dans une organisation où un supérieur hiérarchique « décrétera » de façon solennelle que désormais la prise de décision sera faite selon une approche participative !

L'anxiété générée par le message de changement

Des études ont été faites en vue de déterminer le degré d'anxiété optimal qu'il faut susciter pour provoquer un changement d'attitude. Il semblerait qu'un faible degré d'anxiété produise peu de décristallisation, alors qu'un degré élevé d'anxiété génère des résistances qui amènent les individus à être défensifs et à rejeter ou à discréditer la source d'anxiété.

On se souviendra qu'au moment où nous avons abordé les sources du changement (chapitre 2), l'anxiété a été présentée comme une des sources de changement. On précise ici que l'anxiété doit être suffisamment intense pour être un moteur de changement : elle doit dépasser un seuil de tolérance pour compromettre le confort psychologique du destinataire. Elle ne doit cependant pas dépasser certaines limites, car elle devient alors tellement menaçante pour l'individu que celui-ci craint de ne pas être en mesure d'y faire face et préfère l'éviter. À la lumière de ce que l'on connaît de l'effet du stress, on peut prévoir qu'une dose trop forte d'anxiété risquera de détruire tout l'individu plutôt que de décristalliser une ou plusieurs attitudes.

Par exemple, dans des sessions sur les relations interpersonnelles, l'animateur tente d'aider une personne à décristalliser une ou plusieurs attitudes (les remettre en question ou les examiner). Or, il arrive parfois que cette tentative soit faite de façon telle, qu'elle génère une dose d'anxiété considérable chez cette personne. Il n'est pas rare que celle-ci réagisse alors de façon défensive, sinon agressive, et cherche à discréditer l'animateur, notamment en remettant en question sa compétence ou son sens de l'éthique professionnelle. Dans les mêmes circonstances, certains diront de l'animateur qu'il a cherché à les « descendre aux yeux des autres », en lui prêtant toutes sortes d'intentions cachées.

Hélas, il n'existe pas de moyen rapide et sûr pour détecter le seuil de tolérance des gens à l'anxiété, d'autant plus que ce seuil varie d'une personne à l'autre dans un même groupe. Aussi faut-il que l'agent soit vigilant pour saisir les différents indices qui le renseigneront sur la réaction des destinataires.

Le groupe d'appartenance

En psychologie sociale, on connaît l'importance du groupe d'appartenance sur la formation et le changement des attitudes. D'une part, on sait que les gens devront investir beaucoup d'efforts s'ils doivent changer dans une direction contraire aux normes et aux attitudes de leur groupe d'appartenance. D'autre part, on sait qu'habituellement le groupe d'appartenance exercera une pression à la normalisation d'autant plus forte que les gens essaieront de changer dans une direction différente ou opposée aux normes du groupe.

Ce point joue souvent un rôle crucial dans une entreprise de changement, car le groupe d'appartenance fournit à l'individu du soutien, de la sécurité et des points de référence fidèles, et en changeant, ce dernier risque d'être privé de ces éléments.

On observe fréquemment ce phénomène dans un groupe où l'un des membres commence à changer et à s'éloigner des normes existantes. On le qualifie alors de marginal. Dans ces cas, il n'est pas rare que la personne concernée cherche intensément à créer des liens « soutenants » avec d'autres personnes avec qui elle se sent plus d'affinités. Que l'on pense par exemple à des gens qui changent de travail ou de département dans l'espoir de trouver un milieu plus propice à l'expression de leurs valeurs et de leurs intérêts.

En fait, celui qui commence à s'écarter significativement des normes devient un agent perturbateur pour l'environnement, car, au moins sur le plan symbolique, il véhicule le message que ces normes ne sont pas satisfaisantes et qu'elles devraient être changées, ce qui vient rompre l'équilibre existant. On comprendra que devant une telle situation, la réaction du groupe est habituellement de faire des pressions sur l'individu ou de le rejeter.

Dans le cas des leaders, à cause de leur effet d'attraction, ils seront moins souvent victimes de ces pressions et pourront inciter les autres à changer. Encore que, dans plusieurs situations, on a vu un déplacement de leadership s'opérer pour résister à l'influence de changement de « l'ex-leader ».

De ces considérations, il faut retenir que l'agent de changement aura intérêt, autant au plan du diagnostic que de la planification et de l'exécution des actions, à demeurer attentif aux attitudes touchées par son intervention pour pouvoir agir de façon appropriée. Selon les circonstances, il devra ajuster son intervention en modifiant l'ampleur du projet, par exemple, ou encore en devenant réaliste quant aux délais qui seront nécessaires pour que le changement soit implanté.

Il faut se rappeler qu'il ne suffit pas qu'une attitude soit ébranlée pour que le changement soit implanté. Il faut qu'elle soit remplacée par une autre, et que celle-ci soit intégrée au système psychologique de l'individu. C'est là la différence entre une amorce de changement et un changement complété, et cela est aussi vrai pour l'individu que pour l'organisation.

FIGURE 4.2
Les caractéristiques d'une attitude et la possibilité de la changer

ATTITUDE:						Propice au changement	Non propice au changement
Facteurs internes	Très				Peu		
Caractère extrémiste	1	2	3	4	5		
Degré de consonance	1	2	3	4	5		
Degré de consistance	1	2	3	4	5		
Caractère fonctionnel	1	2	3	4	5		
Facteurs externes							
Crédibilité de la source	1	2	3	4	5		
Pertinence du médium	1	2	3	4	5		
Anxiété suscitée	1	2	3	4	5		
Soutien du groupe d'appartenance	1	2	3	4	5		

Questions-guides

1. *Le changement projeté devra-t-il amener des changements d'attitudes ?*
2. *Quelles attitudes seront affectées ou visées par le changement ?*
3. *Quelles sont les caractéristiques de ces attitudes ?*
4. *Auxquelles de ces caractéristiques faudra-t-il surtout être attentif dans le projet de changement ?*
5. *Pour évaluer le degré de vulnérabilité des attitudes en cause, remplir le tableau (figure 4.2), pour chaque attitude visée.*

CHAPITRE 5

LE MODÈLE DU CHAMP DE FORCES ET LE DIAGNOSTIC[1]

Certains sont victimes de la « pensée magique » : ils s'imaginent qu'il suffit d'y croire et d'en parler pour que le changement se matérialise.

Nous disposons désormais de deux outils qui nous permettent d'avancer davantage sur le terrain du diagnostic : l'analyse systémique et les éléments de la psychosociologie des attitudes. Nous abordons dans ce chapitre un instrument de diagnostic à l'intérieur duquel nous pourrons utiliser ces deux outils ; il s'agit du modèle du champ de forces. Ce modèle permettra notamment de reprendre des notions théoriques de l'analyse systémique et de la psychosociologie des attitudes pour les rendre utilisables dans un diagnostic concret.

1. La rédaction de ce chapitre a entre autres été inspirée d'un texte de Jean Gagnon sur la méthode du champ de forces. Nous lui devons des remerciements pour nous avoir permis de l'utiliser.

5.1. Le modèle du champ de forces

Le modèle du champ de forces a été conçu par Kurt Lewin[2] dans les années quarante. Ce modèle pose au départ que les situations sociales, loin d'être statiques, sont au contraire dynamiques, c'est-à-dire qu'elles s'inscrivent dans un tableau où des forces interagissent. Ainsi, une situation donnée, en apparence stable, ne serait en fait qu'une situation maintenue en état d'équilibre dans un champ dynamique de forces opposées. On pourrait donc dire que cette situation est relativement stable, parce qu'elle résulte d'un équilibre relatif entre différentes forces qui agissent simultanément sur la situation.

FIGURE 5.1
La représentation symbolique des forces en interaction

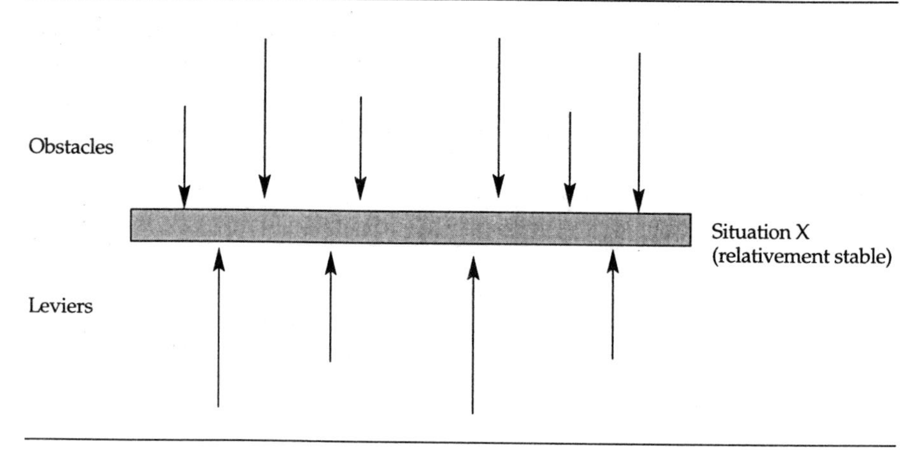

Une façon de se représenter le jeu des forces dans un champ de forces serait de considérer la situation comme une planche maintenue stable par des ressorts de part et d'autre, comme on le voit à la figure 5.2.

Dans cette illustration, on aura compris qu'il suffira de modifier d'une façon ou d'une autre la poussée des ressorts pour que la position de la planche soit changée. Il en va de même dans le champ de forces. Il suffit qu'une ou plusieurs forces soient augmentées ou diminuées pour que la situation soit changée, plus ou moins significativement selon l'importance de la ou des forces concernées.

Qu'est-ce alors qu'une force ? Une force peut être tout élément de la réalité qui agit sur une situation donnée. Cela peut aussi bien être un objet

2. Kurt LEWIN, *Field Theory in Social Science*, New York, Harper, 1951.

FIGURE 5.2
L'équilibre dans le champ de forces

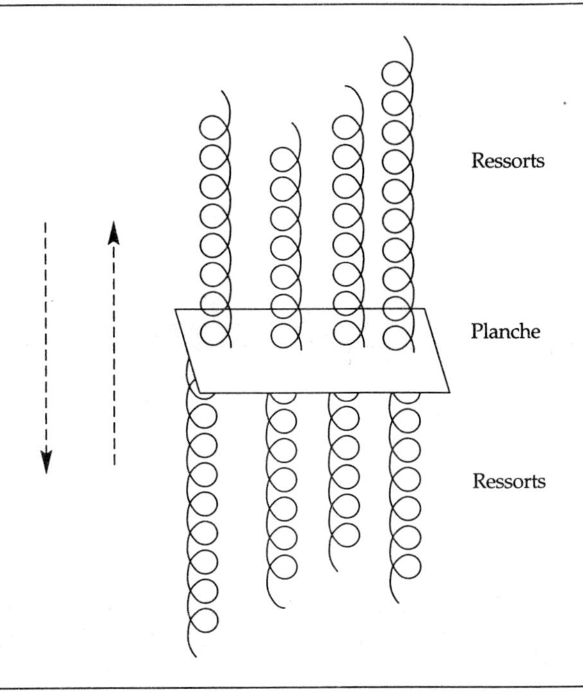

matériel que quelque chose d'immatériel. Un aménagement physique tout comme une idée peuvent être des forces, en autant qu'ils exercent une influence sur la situation.

Pour que le modèle du champ de forces devienne utilisable, il faut lui ajouter une autre composante, à savoir que la situation en état d'équilibre doit être située par rapport à une autre qui pourrait exister. Cela nous permettra de donner une direction aux forces qui agissent dans la dynamique du champ.

Dans l'optique du changement, on mettra en perspective la situation existante par rapport à une « situation souhaitée » ; la situation existante deviendra la « situation insatisfaisante » qu'on cherche à changer en faveur de la situation souhaitée. Par rapport à la situation souhaitée, on pourra ainsi qualifier les forces qui agissent sur la situation existante de forces motrices ou restrictives, ou bien de leviers et d'obstacles.

Comme on le voit dans la figure 5.3, les leviers sont des forces qui agissent de façon à rapprocher la situation existante de la situation souhaitée. À l'inverse, les obstacles sont des forces qui agissent de façon à empêcher la situation existante de se rapprocher de la situation souhaitée et qui probablement tendent à la rapprocher d'une autre situation non souhaitée.

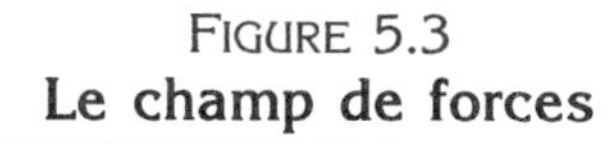

FIGURE 5.3
Le champ de forces

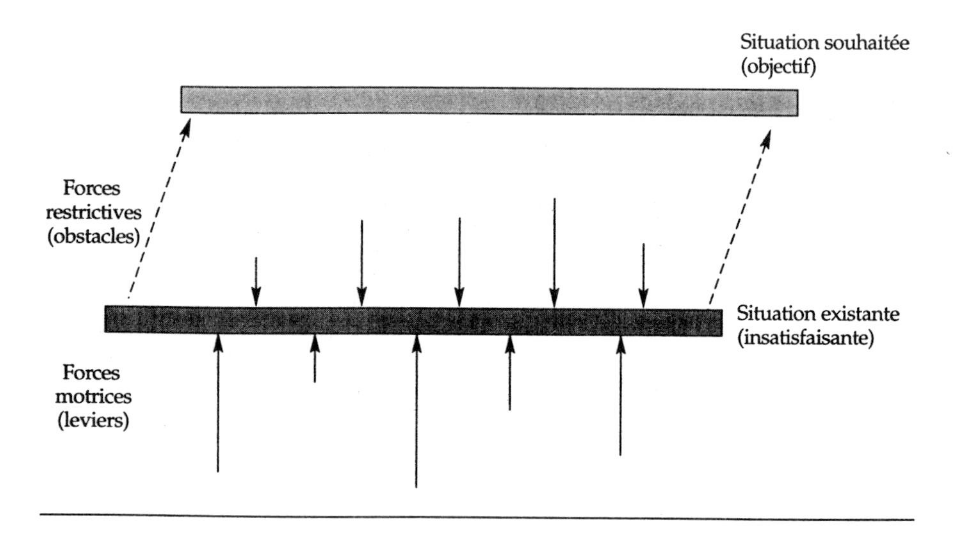

Ajoutons que la description de la situation souhaitée n'est pas objective, mais subjective, c'est-à-dire qu'elle représente la vision de celui ou de celle qui veut faire changer les choses. D'autres auraient pu décrire la situation souhaitée de façon tout à fait différente et les forces auraient alors aussi pris une signification différente. En d'autres termes, une situation n'est pas souhaitée en soi ; elle est souhaitée par quelqu'un à partir de critères qui lui sont propres.

Prenons comme exemple la situation d'une institution nationale qui serait confrontée au dilemme de la centralisation ou de la décentralisation des décisions. Un groupe qui privilégierait un mécanisme décisionnel centralisé au niveau de la direction nationale définirait la situation existante comme laissant trop de pouvoir aux directions régionales et décrirait la situation souhaitée sous la forme d'une structure qui attribuerait de nombreux pouvoirs à la direction nationale. Un groupe qui privilégierait des mécanismes de décision décentralisés, pour sa part, définirait la situation existante comme ne fournissant que peu de pouvoir aux directions régionales, et la situation souhaitée comme laissant une concentration importante de pouvoir aux mains de ces directions. Ainsi, pour une même situation, deux acteurs auront défini des situations souhaitées diamétralement opposées. Si on faisait pour chacun un relevé des leviers et des obstacles, on découvrirait que dans bon nombre de cas, les leviers de l'un seraient les obstacles de l'autre.

5.2. La méthode d'analyse des forces

5.2.1. La description de la situation existante et de la situation souhaitée

Dans la méthode d'analyse des forces, la première opération consiste à décrire le plus précisément possible la situation existante, qu'on juge insatisfaisante, et la situation souhaitée, qu'on veut atteindre.

Supposons que j'observe que le taux d'absentéisme dans mon équipe de travail est trop élevé. Si je dis trop élevé, c'est que j'ai en tête une idée plus ou moins claire de ce que serait un taux d'absentéisme acceptable. Dans le cas présent, supposons que je désire le ramener à moins de 3 %. Si je veux décrire la situation actuelle non pas en termes évaluatifs, mais bien descriptifs et de façon succincte, je dirai qu'actuellement le taux d'absentéisme se situe à 10 % ; voilà donc ma situation actuelle, que je considère insatisfaisante.

La situation souhaitée, quant à elle, pourrait être décrite de la façon suivante : « Au premier décembre, le taux d'absentéisme aura été maintenu à moins de 3 % depuis deux mois ».

Notons que je n'ai pas décrit la situation actuelle comme « absentéisme trop élevé » et la situation souhaitée comme « absentéisme plus faible ». Pourquoi ? Parce qu'il s'agit ici de décrire et non pas d'évaluer. Des mots comme *trop* ou *moins* sont des termes évaluatifs et non descriptifs. Habituellement, la description nous permet de mesurer un phénomène, d'en avoir une représentation claire et univoque. Qu'est-ce qui est trop pour moi ? Ce qui est trop pour moi est peut-être juste assez pour un autre. Tandis que 3 % et 10 %, c'est une description à caractère univoque.

5.2.2. L'inventaire des forces restrictives (les obstacles)

Dans un deuxième temps, il s'agira d'expliquer l'écart entre la situation existante et la situation souhaitée, à savoir de relever les forces restrictives qui empêchent la situation existante de se rapprocher de la situation souhaitée. Signalons ici qu'il ne s'agit pas de forces qui « pourraient » agir, mais bien des forces qui effectivement agissent.

Si actuellement le taux d'absentéisme est de 10 % et que je désire le ramener à moins de 3 %, c'est qu'il y a entre la situation actuelle et la situation souhaitée un certain nombre de forces restrictives qui empêchent la situation d'évoluer vers une amélioration. Voyons quelles pourraient être ces forces restrictives :

- Cette situation existe depuis si longtemps que c'est presque une tradition.
- La politique de l'organisation concernant l'absentéisme est ambiguë.

- Le personnel concerné travaille dans des conditions souvent difficiles (lumière, bruit, cadences, etc.).
- Les normes sociales du groupe concerné favorisent l'absentéisme (ceux qui sont les plus constants au travail sont sujets à des moqueries).

Il y aurait sans doute beaucoup d'autres exemples, mais qu'il suffise pour l'instant de donner une idée du genre de forces que l'on peut voir comme des obstacles.

5.2.3. L'inventaire des forces motrices (les leviers)

Dans un troisième temps, on fera un inventaire des forces motrices qui agissent sur la situation existante.

S'il n'y avait que des forces restrictives à agir sur la situation, l'absentéisme ne serait pas à 10 %, mais plutôt en progression constante vers 100 %. En effet, puisque ces forces sont dynamiques, elles continueraient d'exercer leur action présumément à l'infini. Si donc la situation ne s'améliore pas, c'est à cause de la présence de forces restrictives, mais si par contre elle ne se détériore pas, c'est qu'il doit exister des forces agissant en sens inverse, soit des forces motrices. Ce sont celles qui empêchent la situation de se détériorer et sur lesquelles je pourrai m'appuyer en vue de provoquer un changement. Quels pourraient être certains de ces leviers ?

- Au-delà d'un certain seuil, le contrevenant risque la suspension ou le renvoi.
- Les relations contremaîtres/ouvriers demeurent assez harmonieuses.
- Au-delà d'un certain seuil, le contrevenant risque certaines punitions informelles au sein de son groupe devenu intolérant (pendant qu'il se repose, nous on se tape tout le travail).
- L'existence d'une prime (bien que minime) à la productivité.

Lorsqu'on a terminé l'inventaire des forces motrices et restrictives agissant sur la situation qu'on désire changer, on a sous les yeux une représentation globale de la situation dans des termes dynamiques. On dispose alors d'un diagnostic passablement précis. On peut le raffiner davantage en relevant les forces les plus agissantes, de façon à pouvoir s'y intéresser plus spécialement par la suite.

5.3. Le changement dans le champ de forces

Une fois le diagnostic posé, il s'agira d'amorcer le changement. Or, nous avons vu que la situation existante se maintient au niveau grâce à un équilibre dans un champ de forces dynamiques. Si l'on veut la faire avancer, évoluer dans le sens de la situation souhaitée, on doit provoquer un déséquilibre dans le champ de forces. C'est à l'étape de la planification stratégique qu'on envisagera divers moyens pour provoquer ce déséquilibre. Pour l'instant, il suffira d'indiquer la façon de procéder pour produire le déséquilibre recherché.

Essentiellement, il existe trois moyens pour provoquer un déséquilibre dans le champ de forces : agir sur le champ restrictif, ou sur le champ moteur, ou bien transformer des forces restrictives en forces motrices.

5.3.1. L'action sur le champ restrictif (les obstacles)

La première façon d'agir sur le champ de forces consiste à diminuer l'intensité ou à supprimer totalement une ou plusieurs forces restrictives, ce qui devrait permettre aux forces motrices d'exercer leur action sur la situation existante pour la rapprocher de la situation souhaitée.

5.3.2. Les actions sur le champ moteur (les leviers)

La deuxième façon consiste à augmenter l'intensité d'une ou de plusieurs forces motrices ou, même encore d'ajouter des forces motrices dans le champ. On crée alors une pression accrue sur les forces restrictives, ce qui devrait nous rapprocher de la situation souhaitée.

5.3.3. La transformation des forces

Une troisième façon pourrait être de transformer une ou plusieurs des forces restrictives en forces motrices. Ce serait le cas par exemple si, dans un projet de changement, une ou plusieurs personnes étaient opposées au changement et qu'on réussissait à les convraincre d'appuyer le projet.

L'expérience démontre toutefois que les changements les plus durables sont ceux qui ont fait appel au premier ordre de stratégies, c'est-à-dire à une diminution de l'intensité du champ restrictif. En effet, quand on procède de cette façon, on permet aux forces motrices naturelles d'exercer leur action. Inversement, quand on ajoute des forces motrices, on fait intervenir des éléments qui ne font pas partie de la problématique et du contexte existant et, très souvent, on se rend compte que cela provoque une réaction de résistance accrue du côté des forces freinantes. De plus, il arrive que, lorsqu'on a réussi à obtenir les changements en augmentant le champ moteur, on constate que ces changements ne durent que le temps du maintien de la pression motrice. En effet, dès que celle-ci se détend, la situation tend à régresser et à revenir à la situation antérieure.

En dernière analyse, on peut dire que les stratégies les plus efficaces seront probablement celles qui combinent à la fois une diminution du champ freinant et un accroissement du champ moteur.

Ajoutons qu'avant de décider de la stratégie à utiliser, l'agent de changement aura avantage à déterminer au préalable les forces sur lesquelles il peut agir et celles sur lesquelles il veut agir. En relevant les forces sur lesquelles il peut agir, l'agent, d'une part, s'oblige à être réaliste quant à l'impact possible d'une action et, d'autre part, s'évite d'avoir à investir temps et énergie sur des forces qui, de toute façon, ne lui sont pas accessibles. Les mêmes considérations s'appliquent pour les forces sur lesquelles il n'aurait de toute façon pas l'intention d'agir, pour toutes sortes de raisons.

5.4. Le processus sélectif de la méthode

On aura remarqué que la méthode d'analyse des forces suit un processus de sélection progressive, dont on trouvera la représentation à la figure 5.4.

FIGURE 5.4
Le processus sélectif de la méthode du champ de forces

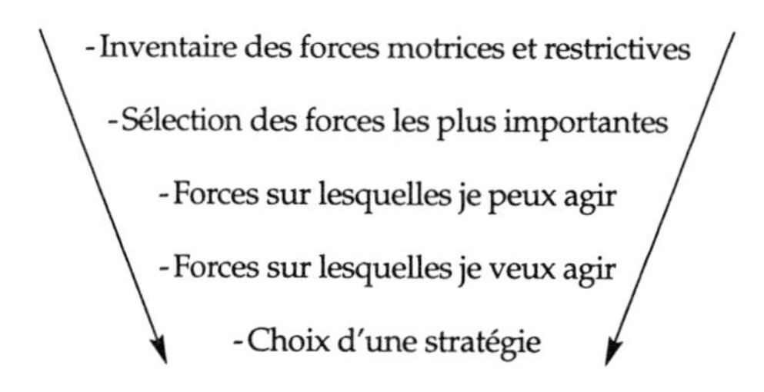

Il pourrait arriver qu'au terme de ce processus, il ne reste que peu de forces sur lesquelles agir et que l'agent en conclue qu'il n'aura finalement que peu d'influence. S'il voulait augmenter son influence, il devrait alors revoir ses critères de sélection en un endroit ou l'autre du processus d'analyse, de façon à retenir plus de forces sur lesquelles agir.

5.5. Les avantages de la méthode d'analyse des forces

La méthode d'analyse des forces en tant qu'instrument de diagnostic et en tant que modèle de changement dynamique comporte plusieurs avantages.

Premièrement, elle permet, au système aux prises avec une situation à changer, de procéder à deux opérations extrêmement importantes, tant pour le changement lui-même que pour la dynamique psychosociale du système concerné. Ces deux opérations sont, d'une part, la description d'une situation existante insatisfaisante et, d'autre part, la description d'une situation souhaitée. Ces deux éléments étant précisés, il devient plus facile d'appréhender l'ampleur des changements à apporter.

Dans les groupes et les organisations, c'est une activité à laquelle on se livre trop peu souvent. En effet, les problèmes restent flous, mal cernés, mal saisis, et font l'objet d'interprétations souvent différentes, voire même contradictoires. Le simple fait de réussir à s'entendre sur une description non évaluative d'une situation que l'on désire changer est en soi un changement. Le fait de devoir tracer correctement et de façon explicite les contours de la situation souhaitée, peut-être de façon consensuelle, permet au système social de se donner une intention, une destination, un but à atteindre et de le rendre clair pour chacun des membres du système. Cette situation étant correctement tracée, elle représente un objectif à atteindre et permet ainsi à chacun d'orienter ses énergies dans ce sens.

Un troisième avantage de la méthode d'analyse des forces est qu'elle permet de saisir de façon visuelle le caractère fondamentalement dynamique de la problématique sociale. Quatrièmement, la méthode d'analyse des forces permet de récupérer une partie extrêmement importante de la réalité, qui est très souvent négligée par les partisans de changement social. Il semble, en effet, que nous soyons parfois des virtuoses de l'énumération de toutes les excellentes raisons pour lesquelles nous ne pouvons obtenir ce que nous désirons, c'est-à-dire, dans les termes de la théorie du champ de forces, que nous sommes tout à fait capables de procéder à un inventaire exhaustif des forces restrictives, ce qui entraîne souvent un sentiment d'impuissance chronique.

Habituellement, là s'arrête notre analyse. Or, la méthode d'analyse des forces nous permet de constater que s'il n'y avait que ces forces restrictives qui agissent sur la situation, cette dernière se détériorerait de jour en jour. Donc, la méthode d'analyse des forces nous permet de trouver d'autres leviers de pouvoir réel, les forces motrices qui, présentes dans la situation existante, l'empêchent de se détériorer et peuvent servir de tremplin pour provoquer un changement.

Un cinquième avantage du modèle du champ de forces est de nous obliger à être réaliste quant à nos ambitions de changement. Entre autres, en nous fournissant une image claire de l'écart entre les situations existantes souhaitées, mais aussi en montrant que pour se rapprocher de cette situation, il faudra investir des efforts nombreux, et sur plus d'un plan.

5.6. La synthèse de la méthode

En résumé, voici les grandes étapes à suivre lorsqu'on utilise la méthode d'analyse des forces comme instrument de diagnostic :

- une description non évaluative et succincte de la situation existante (qu'on juge insatisfaisante) ;
- une description non évaluative et succincte de la situation souhaitée (de laquelle on serait satisfait) ;
- un inventaire exhaustif des forces restrictives (les obstacles) ;
- un inventaire exhaustif des forces motrices (les leviers) ;
- un inventaire des forces ayant le plus d'influence sur la situation existante ;
- le choix des forces sur lesquelles on peut agir ;
- le choix des forces sur lesquelles on veut agir.

Cette démarche étant faite, il restera, à l'étape de la planification, à définir des objectifs opérationnels et à trouver des moyens d'action pour agir sur les forces qui auront été retenues au terme de l'analyse.

Questions-guides

1. *Quelle est la situation insatisfaisante qu'on veut changer ?*
2. *Qui la considère comme insatisfaisante ?*
3. *Quels sont les effets indésirables de cette situation ?*
4. *Quelle est la situation souhaitée pour remplacer la situation existante ?*
5. *Par qui la situation souhaitée a-t-elle été décrite ?*
6. *Qui en serait avantagé et comment ?*
7. *Quelles sont les forces motrices et restrictives qui agissent sur la situation ?*
8. *La situation semble-t-elle stable ou en évolution ?*
9. *Quelles sont les forces les plus importantes qui agissent sur la situation ?*
10. *Quelles sont les forces sur lesquelles on pense pouvoir agir ?*
11. *Quelles sont, parmi ces forces, celles sur lesquelles on veut agir ?*

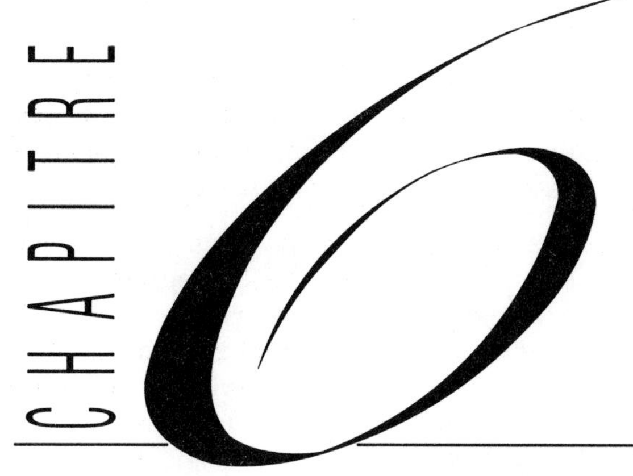

LES OBJECTIFS DANS UN PROJET DE CHANGEMENT

À qui n'a point de port, nul vent n'est favorable.

Les objectifs constituent dans une large mesure l'axe intégrateur d'un projet de changement. C'est autour d'eux que graviteront les différentes composantes de la planification et des ajustements dans l'action.

6.1. La fonction des objectifs

Dans la perspective du changement organisationnel, les objectifs ont trois fonctions.

Premièrement, lorsqu'ils sont bien clarifiés, ils obligent à faire un choix approprié quant aux moyens d'action à utiliser pour se rapprocher de la situation souhaitée, de sorte que la planification en deviendra plus systématique.

Deuxièmement, ils facilitent le processus d'évaluation continu. Régulièrement, on pourra examiner l'évolution de la situation en rapport avec les objectifs et juger de la progression de l'action.

Troisièmement, les objectifs facilitent la communication des intentions aux destinataires ou aux collaborateurs en rendant les intentions explicites. Celles-ci seront plus faciles à saisir que si l'on se contentait de quelques énoncés vagues qui pourraient ressembler à des vœux pieux.

D'une certaine façon, les objectifs servent de charnière entre le diagnostic et la planification. Tant et aussi longtemps que le diagnostic n'est pas suffisamment élaboré, on ne dispose pas d'une vision assez nette de la situation pour préciser les orientations à donner à l'entreprise de changement. D'autre part, il sera difficile d'amorcer une planification éclairée si on n'a pas au préalable clarifié les résultats qu'on veut atteindre. La formulation des objectifs constituera l'aboutissement logique du diagnostic et fournira l'encadrement nécessaire à la planification des actions.

Sans objectifs clairs, l'agent s'expose à voguer au gré de ses impressions, sans trop avoir de repères pour juger de l'impact des événements sur sa capacité d'atteindre la situation souhaitée. Sans compter qu'il risque d'en être réduit à intervenir à courte vue, en se fondant uniquement sur les impressions du moment.

6.2. La notion d'*objectif* et la notion de *valeur*

La notion d'*objectif* et la notion de *valeur* sont parfois employées l'une pour l'autre. Il nous apparaît utile d'établir la distinction entre les deux[1].

La valeur exprime le système de *croyance* auquel adhère un individu, un groupe ou une organisation ; elle véhicule une façon particulière d'envisager différents aspects du réel et cette conception du réel résulte d'un choix, conscient ou inconscient, parmi plusieurs possibilités. Habituellement à forte composante émotive, elle a pour effet de conditionner en bonne partie les attitudes et les comportements de l'individu ou du groupe en cause. Il faut préciser qu'une valeur ne traduit pas une intention d'action, mais bien une vision de ce qui est à privilégier. Par conséquent, les valeurs sont en règle générale non directement observables. En outre, elles sont la plupart du temps généralisées à un ensemble assez vaste de situations et non circonscrites à un objet particulier. C'est pourquoi on trouve toujours un ensemble de valeurs à la base d'une culture organisationnelle.

1. La distinction que nous proposons ici s'inspire essentiellement de celle faite par Roger Tessier dans *Changement planifié et développement des organisations*, 1973, p. 33-36.

L'objectif, pour sa part, exprime le *résultat* recherché, et par conséquent une intention d'agir en vue d'atteindre ce résultat. L'objectif a donc habituellement la caractéristique d'être plus opérationnel que la valeur, et il est lié à une situation ou un objet bien circonscrit dans le système. En fait, l'objectif vient cerner les effets que l'on veut produire sur le système par une action.

Par exemple, si je dis qu'à mon avis la société devrait fonctionner selon un mode démocratique, j'exprime là une valeur. En effet, j'ai exprimé qu'au plan de mes croyances, je privilégie un système politique par rapport à d'autres. Si, d'autre part, je dis qu'à l'intérieur d'une organisation donnée je veux faire en sorte que désormais les décisions se prennent de façon plus démocratique, je viens d'exprimer un objectif. En effet, j'ai explicité un effet que je compte produire sur cette organisation. J'ai exprimé une intention d'agir en fonction d'une situation très particulière. Certes, cet objectif est inspiré d'une valeur à laquelle j'adhère ; il est toutefois beaucoup plus circonstancié et plus concret que ne l'est la valeur.

6.3. La flexibilité des objectifs

Le fait de s'attarder à définir des objectifs précis ne signifie pas pour autant qu'ils doivent être considérés comme immuables. En effet, comme nous l'avons mentionné précédemment, l'agent aura avantage à reconsidérer régulièrement ses objectifs en fonction des différentes circonstances, des différents phénomènes qui se seront manifestés dans le système ou son environnement. Il se pourrait très bien qu'à partir d'une action donnée, on ait produit plus d'impact que prévu, et en conséquence qu'il faille changer certains objectifs qui avaient été prévus initialement, mais qui ne sont plus pertinents. Par exemple, dans un projet où l'on voudrait améliorer la qualité de l'alimentation dans une cafétéria, un agent pourrait s'être donné comme objectif d'influencer la direction de l'établissement afin qu'elle incite le personnel de la cuisine à modifier les menus. Dans l'intervalle, il pourrait s'être produit que, dans le cadre d'un changement dans la structure hiérarchique de l'établissement, on ait donné pleine autorité au personnel de la cuisine. Dans une telle circonstance, il est évident que l'agent devra abandonner l'objectif de s'allier la direction de l'établissement pour influencer le personnel de la cuisine.

6.4. L'objectif terminal

L'objectif terminal formule de façon globale les résultats qu'on cherche à atteindre à la fin du projet. Il reprend donc les termes de la situation souhaitée, en la décrivant de façon opérationnelle, et en la présentant de façon réaliste, après l'analyse des forces motrices et restrictives présentes dans le milieu. On s'en souviendra, la définition de la situation souhaitée précise le genre de changement qu'on veut produire à long terme.

6.5. Les objectifs intermédiaires

Les objectifs intermédiaires, pour leur part, viennent préciser les différents résultats que l'on devra atteindre progressivement tout au long de l'intervention pour se rapprocher graduellement de l'objectif terminal (situation souhaitée).

Le lecteur qui voudrait trouver un exposé sur la formulation des objectifs pourra se référer à des ouvrages spécialisés sur le sujet[2]. Qu'il suffise ici de rappeler trois qualités que devraient respecter les objectifs intermédiaires pour être utiles à celui qui mène un projet de changement. Premièrement, au plan de la formulation, l'objectif intermédiaire précise un résultat qu'on devrait pouvoir observer dans le système après l'action. Il ne s'agit pas de décrire les étapes de l'action, mais bien les résultats que celle-ci produira. Par exemple, si je dis « rencontrer » la direction d'une entreprise pour l'influencer sur l'alimentation à offrir à la cafétéria, je suis en train de décrire une activité que j'ai l'intention de mener. Je n'ai cependant pas précisé le résultat que je recherche, c'est-à-dire l'objectif que je poursuis. Dans les circonstances, mon objectif aurait pu être « d'obtenir que la direction insiste auprès de son personnel pour qu'il modifie la composition des menus ». Un objectif se formule donc en termes d'activités à mener en vue d'un résultat souhaité.

Deuxièmement, on devrait formuler un objectif intermédiaire en termes de résultats, aussi observables que possibles. Il arrive des situations où il est difficile de formuler des objectifs qui puissent être observables. Quoi qu'il en soit, aussi souvent qu'on pourra le faire, on y trouvera des avantages, notamment celui de pouvoir évaluer facilement ces objectifs, de sorte qu'on pourra plus aisément suivre la progression de l'action.

Finalement, et ce n'est pas la moindre des caractéristiques, un objectif doit préciser le résultat souhaité dans un délai déterminé. Un objectif sans délai fixé se transforme trop souvent en un désir flou, sans volonté concrète de changer les choses qui permettraient d'atteindre le résultat.

La définition des objectifs intermédiaires devrait se faire en fonction de plusieurs variables. La première variable, ce sont évidemment les forces motrices et restrictives sur lesquelles on aura décidé d'agir. En effet, les

---

2. G. LEFEBVRE, *Savoir organiser savoir décider*, Montréal, Les éditions de l'Homme, 1975, 166 pages.

forces sur lesquelles on aura décidé d'agir, constituent les principales cibles. On devrait pouvoir transformer chacune de ces cibles en objectifs à atteindre pendant l'action.

Présentés ainsi, les objectifs viennent indiquer les différentes étapes qu'on devra franchir pour finalement atteindre la situation souhaitée ou l'objectif terminal. L'ensemble des objectifs présente d'une certaine façon une sorte de trajectoire qu'il faut suivre pour se rendre à la situation souhaitée. En même temps, ils fournissent un cadre qui aidera à dresser le plan d'action.

La formulation des objectifs devrait aussi se faire en fonction du contexte qu'on aura étudié lors des activités de diagnostic. Dans la mesure où les objectifs négligeraient de tenir compte des particularités que le diagnostic aura mis en relief, ils risqueraient d'être déphasés par rapport à la réalité sur laquelle on veut agir.

Une autre variable qu'on devrait également prendre en considération est l'état des ressources dont on dispose pour introduire le changement. Si un agent se donnait des objectifs très ambitieux et que, par ailleurs, il ne disposait que de peu de ressources, ce serait là une indication de l'irréalisme de son projet. Dans cet esprit, l'exercice de formulation des objectifs devient assez souvent un exercice de reprise de contact avec la réalité. Dans la mesure où il devient évident qu'on ne dispose pas des ressources ou du contexte nécessaires pour atteindre ses objectifs, il faut alors reconsidérer ces objectifs pour les situer dans une perspective plus proche des caractéristiques du système sur lequel on veut agir.

D'ailleurs, on peut se demander si les gens qui ont l'habitude d'agir sans se donner d'objectifs précis ne le font pas, consciemment ou inconsciemment, par crainte d'être obligés de reprendre contact avec la réalité et par conséquent de devoir réduire leurs ambitions.

Pour notre part, nous croyons que l'exercice de formulation des objectifs oblige parfois à être moins ambitieux ou moins pressé dans ses intentions de changement. Il offre également l'avantage de donner plus de prise sur l'environnement immédiat de façon à ce qu'à moyen ou long terme, on en arrive à implanter le changement. En d'autres termes, nous croyons qu'il est souvent plus fructueux d'accumuler les petites victoires consécutives que de viser la grande révolution d'un seul coup.

Dans cet effort de réalisme, nous invitons l'agent de changement à s'interroger sur l'appropriation des objectifs par les gens visés. Il peut facilement arriver qu'on se fasse croire que l'on définit des objectifs que la plupart des destinataires valorisent. Dans les faits, il se peut fort bien que ces objectifs ne contiennent que ses propres vœux, ses propres valeurs, ses propres intentions et que l'on projette ses désirs sur l'ensemble des destinataires, au détriment de leurs vrais besoins.

6.6. L'organisation temporelle des objectifs

Après avoir défini les objectifs du projet, on pourra les regrouper sous trois catégories temporelles, soit :

- le court terme ;
- le moyen terme ;
- le long terme.

Ces trois catégories permettront d'orchestrer dans une séquence chronologique, et probablement stratégique, les actions sur les forces motrices et restrictives qu'on a choisi de cibler. On pourra ainsi mieux découper les différents moments de l'action et par conséquent, mieux la planifier et mieux la suivre dans son évolution.

FIGURE 6.1
L'organisation temporelle des objectifs

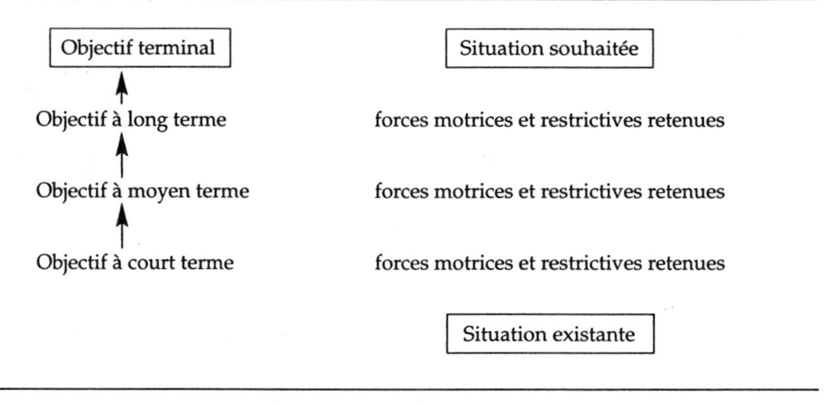

À la lecture de la figure 6.1, on comprend qu'au fur et à mesure de la progression vers les objectifs à long terme, la situation devrait graduellement se modifier pour se rapprocher de la situation souhaitée. Lorsque les objectifs à long terme auront été atteints, on présume que l'objectif terminal aura, par le fait même, été atteint. Sinon, c'est qu'on aura négligé certaines forces qui limitent encore le rapprochement vers la situation souhaitée. Il faut bien souligner ici que lorsqu'on se réfère à la situation souhaitée, il ne s'agit pas d'une situation idéale à laquelle on aspirerait, mais bien de la situation qu'on aura jugé accessible, d'après l'analyse des forces.

Prenons l'exemple d'une petite entreprise qui, à la suite du succès inattendu de ses produits sur le marché, aurait connu un accroissement important de la demande et dont la structure organisationnelle aurait été dans l'incapacité de répondre à la nouvelle demande. Le conseil d'administration de cette entreprise aurait pu définir la situation insatisfaisante de la façon suivante : la structure organisationnelle et l'état des ressources de l'entreprise ne lui permettent plus de fonctionner de façon efficace et satisfaisante à la suite de l'évolution de la demande sur le marché. Le conseil d'administration pourrait définir la situation souhaitée de la façon suivante : que dans un an, l'entreprise dispose d'une organisation et de ressources lui permettant de doubler son volume de production et de satisfaire un marché plus large.

Après avoir fait une analyse de la situation avec les membres de l'entreprise, le conseil d'administration aurait pu se donner les objectifs intermédiaires suivants :

1. avoir dressé un organigramme qui corresponde mieux aux caractéristiques de la situation nouvelle ;
2. avoir conçu un modèle de gestion plus adapté à l'expansion de l'entreprise ;
3. avoir déterminé les modifications technologiques à apporter au plan de la production ;
4. avoir trouvé un nouveau local pour réaménager l'atelier de production ;
5. avoir établi les compétences du personnel (administratif et technique) en place et établi les nouveaux besoins en personnel ;
6. avoir défini et mis en œuvre un plan d'aménagement fonctionnel et sécuritaire du nouvel atelier de production ;
7. avoir défini et mis en œuvre des mécanismes de recrutement et d'entraînement du nouveau personnel ;
8. avoir trouvé des moyens pour maintenir une qualité de vie au travail satisfaisante ;
9. avoir recruté le nouveau personnel administratif et technique nécessaire ;
10. avoir élaboré et introduit des outils de gestion plus raffinés.

Ses objectifs étant définis, le conseil d'administration pourrait les regrouper en fonction de la séquence court-moyen-long terme, comme on peut le voir à la figure 6.2.

En procédant ainsi, on aura classifié les objectifs à l'intérieur d'une séquence temporelle qui informera sur le scénario général que devra suivre l'action. Précisons ici que les notions de court, moyen et long terme ne correspondent pas à des perspectives de temps prédéterminées. Dans chacune des circonstances, on aura à préciser ce que signifie le court, le moyen et le long terme. Ainsi, si quelqu'un voulait introduire un changement important à l'intérieur de la fonction publique du Québec, le long terme devrait sûrement s'exprimer en années. Si on agit sur un système microscopique, une unité d'une trentaine de personnes par exemple, le long terme pourra s'exprimer en termes de quelques mois.

FIGURE 6.2
Un exemple d'organisation temporelle des objectifs

Objectifs à court terme	Objectifs à moyen terme	Objectifs à long terme
Septembre Avoir déterminé les modifications technologiques à apporter au plan de la production. **Octobre** Avoir conçu un modèle de gestion plus adapté à l'expansion de l'entreprise. Avoir dressé un organigramme qui correspond mieux aux caractéristiques de la situation nouvelle.	**Janvier** Avoir établi les compétences du personnel (administratif et technique) en place et établi les nouveaux besoins en personnel. **Février** Avoir trouvé un nouveau local pour réaménager l'atelier de production. Avoir défini et mis en œuvre des mécanismes de recrutement et d'entraînement du nouveau personnel.	**Mars** Avoir défini et mis en œuvre un plan d'aménagement fonctionnel et sécuritaire du nouvel atelier de production. Avoir recruté le nouveau personnel administratif et technique nécessaire. **Avril** Avoir élaboré et introduit des outils de gestion plus raffinés. **Juin** Avoir trouvé des moyens pour maintenir une qualité de vie au travail satisfaisante.

Rappelons que nous ne cherchons pas à fixer les objectifs dans un scénario cloisonné et rigide. Nous cherchons davantage à orchestrer le déroulement de l'action à l'intérieur d'un scénario articulé.

L'organisation temporelle des objectifs aura l'avantage de mieux faire ressortir les liens logiques et stratégiques entre les différents objectifs. Ainsi, en procédant à la classification, on pourrait s'apercevoir que si l'on a des objectifs clairs et précis pour le court terme, on a par ailleurs peut-être négligé de se donner des objectifs à moyen terme, qui pourraient s'avérer nécessaires pour atteindre le long terme.

En même temps, cette organisation des objectifs devrait permettre de voir si les objectifs sont articulés de façon cohérente et sensée. On pourrait découvrir, par exemple, qu'on s'est fixé un objectif à moyen terme et qu'à court terme, on n'a pas prévu de préalable en vue de cet objectif. Ce serait le cas par exemple si, dans un centre hospitalier, on souhaitait à moyen terme que les patients fassent un usage modéré des médicaments, sans avoir au préalable persuadé le personnel de l'importance de cet objectif.

Dans la mesure où nous privilégions un mode de planification ouvert, il est évident que si les objectifs à court terme peuvent être très précis, on peut s'attendre à ce que les objectifs à moyen et à long terme soient de plus en plus généraux, sachant qu'ils auront à être précisés lorsque les délais se rapprocheront.

D'ailleurs, on peut s'attendre à ce que ceux-ci soient plus susceptibles d'être modifiés que les objectifs à court terme, car selon le résultat des actions à court terme, l'allure du reste du projet peut changer considérablement.

Enfin, l'organisation temporelle des objectifs aura l'avantage de fournir un outil qui permettra de réévaluer la perspective de temps qu'on s'était fixée pour conduire l'action. Si, par exemple, les objectifs devaient être atteints plus rapidement ou plus lentement qu'il n'avait été prévu, on devrait reconsidérer le calendrier fixé pour s'ajuster aux aléas de la réalité.

6.7. Des objectifs à l'action

Lorsque les objectifs ont été définis, il faut trouver des moyens qui permettront d'atteindre chacun d'entre eux, et orchestrer ces moyens à l'intérieur d'une stratégie d'action. Pour choisir les moyens, on pourra avantageusement faire appel au processus rationnel de solution de problème (PSP)[3] ou à différentes méthodes de créativité[4]. L'important ici est probablement de faire un choix approprié à partir d'un inventaire exhaustif des moyens utilisables.

Quant à l'élaboration d'une stratégie, il faudra y procéder en étant attentif aux différentes caractéristiques de la situation, et notamment en prenant en considération la possibilité qu'il y ait des résistances au changement. Les trois prochains chapitres sont consacrés à ces questions.

Questions-guides

1. *Quel est l'objectif terminal poursuivi par le projet ?*
2. *Quels sont les objectifs intermédiaires de l'entreprise de changement :*
   à court terme ?
   à moyen terme ?
   à long terme ?
3. *À la lumière du diagnostic, quels sont les indices qui permettent de croire que ces objectifs sont réalistes ?*

---

3. Le lecteur intéressé à mieux connaître la méthode du PSP peut consulter le chapitre 10 (p. 195-203) de *Changement planifié et développement des organisations*, de Roger Tessier et Yvan Tellier, 1973.
4. Sur le sujet, on pourra entre autres consulter : Parnes, Sidney J. *et al. Guide to Creative Action*, New York, Chales Scribner's Sons, 1977.

LES RÉSISTANCES AU CHANGEMENT

Ce ne sont pas les choses qui troublent les humains
mais l'opinion qu'ils en ont.
Épictète

Le phénomène de la résistance au changement est probablement la bête noire de tous ceux qui véhiculent des idées de changement. Pour celui qui mène le projet de changement, les résistances sont habituellement synonymes d'hostilité, d'intrigue, de délais, de polarisation, de conflits, d'impatience, etc. Autant de problèmes qui risquent de le contrarier et de nuire au succès de son entreprise.

Comme nous l'avons vu précédemment, tout changement significatif dans un système social suppose le passage, au moins provisoire, d'un état d'équilibre à un état de déséquilibre, avec l'espoir d'atteindre un nouvel état d'équilibre, plus satisfaisant. Sachant que les systèmes auraient une tendance naturelle à rechercher un état d'homéostasie, toute tentative de changement risque de compromettre une telle tendance. Dans cette perspective, on serait en droit de prévoir que le réflexe d'un système sera d'investir plus d'énergie pour se protéger des intrants qui risquent de l'ébranler. La résistance au changement devient donc une réaction légitime du système qui tente de « maintenir » un état de santé relatif.

Si on suit cette logique, on en arrive à conclure que l'expression des résistances au changement joue en quelque sorte le rôle d'un système d'alarme ; un peu à la manière de la fièvre qui informe l'humain qu'un agent est en train d'affecter l'équilibre de son organisme.

Nous suggérons de concevoir la résistance au changement comme une réaction légitime, voire même fonctionnelle. Le pire qu'on puisse faire en rapport avec les résistances est de les considérer *a priori* comme données négatives et indésirables, ce qui se produit hélas trop souvent chez les agents de changement.

Malgré leur caractère désagréable, on aurait avantage à ne pas les traiter en soi comme négatives. L'essentiel n'est pas là. Il se situe plutôt au plan de leur signification. La résistance au changement est un phénomène psychosocial qu'il faut explorer comme tel, pour ensuite être en mesure d'adopter les comportements appropriés.

À la limite, on devrait même s'inquiéter de ne pas percevoir de résistances. On pourrait trouver là des indices que ce que l'on considère comme un changement, constitue tout au plus aux yeux des destinataires une modification d'intérêt secondaire, ou encore que le système visé n'a pas vraiment été rejoint, ou encore que le système social croit si peu en notre capacité d'intervenir qu'il n'investit pas d'énergie pour réagir. Il va de soi que ces considérations ne tiennent pas pour les cas où l'entreprise de changement suscite de l'enthousiasme chez les destinataires. Encore que dans un tel cas, on pourrait trouver matière à inquiétude, car un enthousiasme excessif peut être porteur de déceptions, suivies de démobilisation.

Jusqu'à un certain point, on pourrait dire que les résistances au changement imposent un ajustement des perceptions au degré réel de perméabilité du système à l'égard du changement. Il ne s'agit pas de les ignorer et encore moins de tenter de les dénigrer, mais bien d'apprendre à les utiliser et à s'en servir comme levier de changement. Compagnon paradoxal du changement, la résistance, tout en étant une expression de vitalité du système, agit en quelque sorte comme garde-frontière, et elle plane constamment au-dessus de l'action de l'agent de changement.

7.1. Définition

Définissons la résistance au changement comme l'expression implicite ou explicite de réactions de défense à l'endroit de l'intention de changement. Dans le langage du modèle des champs de force, on dirait qu'il s'agit de l'émergence de nouvelles forces restrictives en vue de limiter la tentative de changement ou d'y faire obstruction.

7.2. La manifestation des résistances

Les résistances au changement peuvent se manifester d'une multitude de façons et pour les saisir, on doit être attentif aux différents indices qui se présentent. Contrairement à une idée largement répandue, les résistances ne s'expriment pas toujours de façon explicite par l'hostilité ou le refus. Souvent la résistance se manifeste par des voies indirectes. Voici quelques exemples parmi les plus répandus :

- remettre en question de façon tâtillonne les moindres détails du projet de changement ;
- évoquer des doutes quant à la nécessité d'introduire un changement ;
- faire de l'intention de changement un objet de ridicule et de dérision ;
- proposer que le projet soit référé à de multiples comités d'étude pour en évaluer l'intérêt ;
- feindre l'indifférence pour renvoyer le projet aux oubliettes ;
- vouloir étudier le projet plus à fond, mais à un moment où l'on n'aura plus de temps disponible ;
- évoquer douloureusement les avantages d'un passé pas très éloigné, où pourtant tout allait si bien... ;
- argumenter longuement sur des aspects secondaires du changement, en s'employant à démontrer qu'il ne sera pas réalisable dans la pratique ;
- invoquer la multitude de conséquences fâcheuses qu'entraînera à coup sûr le changement ;
- s'abstenir de coopérer au processus d'implantation ;
- exprimer de l'apathie, du désœuvrement, de la démobilisation ;
- adopter une attitude légaliste ou dépendante, où on ne fait que ce qui est strictement indiqué et de la manière prescrite, sans nuances ;
- ralentir le rythme de travail ;
- discréditer les initiateurs du changement ;
- profiter de toutes les occasions pour relancer le débat sur le changement ;
- faire un écho bruyant à toutes les difficultés rencontrées dans le processus d'implantation ;
- présenter le projet de changement comme la cause de toutes les difficultés que peut connaître le système ;
- suggérer régulièrement de repousser les échéances d'implantation ;

- déclarer une guerre en règle contre le changement ou ses initiateurs ;
- utiliser différentes tactiques de sabotage pour créer un climat d'adversité ;
- amplifier les avantages de la situation existante.

Tous ces exemples constituent autant de façons d'exprimer des résistances au changement et on pourrait en relever bien d'autres. Certaines de ces manifestations sont dirigées directement vers l'objet du changement, d'autres le sont indirectement. Elles ont néanmoins toutes le même effet : elles mettent en péril les chances de succès de l'entreprise de changement.

Assez souvent, pour parler de résistance au changement, on utilisera l'expression « résistance passive ». La résistance passive est une résistance au changement qui, au lieu de s'exprimer ouvertement et directement à l'égard de l'intention de changement, s'exprime par des voies indirectes ou en sourdine. C'est souvent là le mode utilisé lorsque les gens se sentent impuissants à réagir ouvertement, que ce soit parce qu'ils sentent qu'ils n'ont pas le pouvoir suffisant pour le faire, ou parce qu'ils se sentent menacés, ou encore parce qu'ils manquent d'audace.

Prenons l'exemple suivant : dans une division d'une entreprise de service, le directeur a décidé de modifier significativement le type de relation à avoir avec les clients et il a constitué un groupe chargé de procéder à l'introduction de la nouvelle approche. La plupart des cadres intermédiaires qui sont ses subordonnés n'adhèrent pas au projet de changement et après quelques questions pour mettre en doute son utilité, s'abstiennent de réagir, constatant la détermination du directeur. Ils continuent néanmoins à résister, mais de façon passive. Ils n'offrent aucune collaboration au groupe chargé du projet ; ils réussissent difficilement à trouver du temps pour rencontrer les membres du groupe quand ceux-ci en expriment le désir ; ils feignent de comprendre difficilement l'objet réel du changement ; ils cherchent des occasions de discréditer le responsable du projet sur d'autres dossiers ; ils entretiennent un climat d'intrigue parmi leur personnel ; on observe des conciliabules de bureau à voix basse. Toutes ces réactions sont des résistances passives liées au fait que ces cadres se sentent impuissants à faire obstruction ouvertement au projet. L'observateur extérieur pourrait croire que le changement suit un cours naturel, car les gens ne semblent pas en être affectés. Et pourtant, il n'en est rien ; ces réactions camouflées suffisent à ralentir le rythme du changement en empêchant celui-ci de pénétrer le système. C'est alors, pour l'agent, un peu comme essayer de remorquer un bateau dont les marins auraient pris un malin plaisir à ne pas lever l'ancre ; on peut imaginer l'énergie qu'il faut investir pour faire avancer le bateau (on peut aussi présumer que le lien le plus faible cédera : soit le remorqueur, soit l'appareillage de remorquage, soit le bateau, soit l'ancre) !

7.3. La signification des résistances au changement

Au-delà du caractère désagréable des résistances pour l'agent de changement, celles-ci contiennent des informations qui auront avantage à être décodées ; un peu comme la douleur informe le cerveau que l'organisme subit une contrariété physique ou psychologique.

D'abord, le degré de résistance nous renseigne sur l'importance que le système accorde à la cible du changement. Plus le système réagit fortement, plus on peut penser avoir atteint une zone névralgique. Une action qui viserait à modifier significativement le modèle familial existant dans notre société susciterait sûrement des réactions vives, car on déséquilibrerait une institution centrale. Donc, l'intensité de la réaction négative du système peut constituer un bon indice du degré de centralité de la cible du changement.

Les résistances nous renseignent aussi sur le degré de perméabilité ou d'ouverture du système à l'égard du changement. Pour un objet de changement d'importance secondaire, si la réaction est vive, on pourra supposer être en présence d'un système peu réceptif au changement. Certes, on pourra déjà avoir une bonne idée de ce degré de réceptivité. Il n'en reste pas moins que c'est au contact de la réalité qu'on pourra vérifier sa perception.

Les résistances pourront également informer de certains effets systémiques[1] qu'on aurait peu ou pas pressentis et cette information à elle seule pourrait amener l'agent à ajouter des éléments imprévus au diagnostic. Par exemple, si une commission scolaire décidait de bonne foi de fermer une école dans un quartier pour des motifs économiques et qu'à l'unisson les gens du quartier, y compris ceux qui n'ont pas d'enfants, s'y opposaient, on pourrait conclure, après analyse, que les gens craignent que la vie du quartier soit affectée, ce qui pourtant n'était pas le but du changement. On serait alors en présence d'une résistance au changement qui témoignerait d'effets systémiques conséquents au changement.

Enfin, des résistances au changement peuvent révéler à l'agent des erreurs qu'il aurait commises dans l'élaboration du projet de changement ou dans l'approche utilisée pour le mettre en œuvre. Nul n'étant à l'abri de l'erreur, il est à prévoir qu'un certain nombre d'intentions de changement, au lieu d'améliorer la situation, risqueraient de l'empirer. À cet égard, devant des résistances au changement, on aurait avantage à s'interroger sur le mérite réel de son intention. Il est arrivé à des ingénieurs en milieu industriel de vivre des situations de ce genre en tentant d'introduire des innovations technologiques auxquelles les travailleurs ont résisté au premier abord, parce qu'ils y voyaient des lacunes et qui par la suite se sont

1. Effets sur d'autres sous-systèmes non directement visés.

effectivement révélées être des échecs. Un intervenant d'expérience disait lors d'une conférence: «Quand des résistances commencent à apparaître, ne paniquez pas en essayant de les éliminer à tout prix. Asseyez-vous, écoutez et essayez d'en décoder la signification véritable. Après, seulement, vous serez en mesure d'agir de façon appropriée, en assumant peut-être la part d'erreur qui vous revient.»

7.4. Les sources de résistances au changement

Regroupons les sources de résistances en trois catégories:

- les résistances liées à la personnalité;
- les résistances liées au système social;
- les résistances liées au mode d'introduction du changement.

7.4.1. Les résistances liées à la personnalité

Les habitudes

Une habitude est souvent plus facile à acquérir qu'à perdre. En fait, l'habitude est une mesure d'économie: en reproduisant le même comportement, on s'évite de réfléchir à chaque fois sur la façon de faire une chose. Tous, nous avons acquis des habitudes, à des degrés divers. Or, quand un changement oblige à abandonner une habitude, cela équivaut à demander à quelqu'un de renoncer à un comportement relativement facile et économique, pour en adopter un plus exigeant, ou qui, tout au moins pour un certain temps, demandera un effort de réflexion plus important, d'où le réflexe de vouloir conserver l'habitude acquise.

La peur de l'inconnu

Demain, même si on l'annonce meilleur, n'est toujours qu'un possible. Nous connaissons fort bien la trame de notre existence d'aujourd'hui et nous nous en accommodons assez bien. En dépit des promesses de tous les agents de changement du monde, demain demeure un possible, porteur d'inconnu dont il faudra s'accommoder.

Ainsi, dans certaines situations où des gens se plaignaient régulièrement du fonctionnement de leur organisation, on aura vu ces mêmes personnes résister à des propositions de changement et souhaiter le maintien du *statu quo*. Ce n'est certes pas que leurs insatisfactions soient tout à coup devenues sans importance. Mais l'environnement existant est connu et utilisé à la satisfaction relative des intéressés, alors que l'environnement qui résulterait de la proposition de changement représente l'inconnu, qui sera peut-être insatisfaisant.

Or, tout projet de changement contient une bonne part d'inconnu. Accepter de s'engager dans l'inconnu, c'est accepter d'avoir de bonnes comme de mauvaises surprises, avec le risque que l'on regrette le passé. En faut-il plus pour que plusieurs se rallient au vieil adage: « un tien vaut mieux que deux tu l'auras » ? Ajoutons que la peur de l'inconnu est souvent inversement proportionnelle au degré de tolérance à l'ambiguïté des personnes.

Le principe de la répétition du succès

Nous apprenons à partir d'un processus complexe d'essais et d'erreurs. Lorsqu'une expérience rencontre le succès, elle a tendance à se confirmer et à s'installer dans les modèles de comportements de la personne qui l'a réussie. On peut dire de toute personne, à quelque moment que ce soit de son existence, qu'elle représente le résultat d'un grand nombre d'expériences: certaines réussies, certaines non réussies. Le fait qu'un individu se soit aménagé un environnement plus ou moins satisfaisant, plus ou moins stimulant est en soi l'expression d'un certain nombre d'expériences réussies. Sa façon de se comporter, ses attitudes, ses opinions et ses valeurs représentent un ensemble de compromis relativement satisfaisants. L'individu vit son expérience de compromis comme étant le résultat optimal de son apprentissage. Il est par conséquent difficile d'introduire un changement, puisque l'ensemble de l'expérience, l'ensemble de la *gestalt* de l'individu est le résultat d'un apprivoisement rituel entre lui et son environnement.

D'ailleurs, les recherches en behaviorisme ont bien démontré qu'une expérience réussie constitue un renforcement pour reproduire cette expérience. Par conséquent, il faut un certain temps pour que la personne se laisse convaincre qu'une autre façon de faire peut être plus satisfaisante.

De plus, à la lumière de ce principe, on peut prévoir le degré de résistance que pourra générer un changement qui laisse présager une expérience moins satisfaisante.

La préférence pour la stabilité

Il semble que nous soyons constamment habités de conflits entre deux ordres de besoins fondamentaux, soit des besoins de stabilité et de sécurité, d'une part, et, d'autre part, des besoins de stimulation et d'exploration. Plus une personne tend à satisfaire ses besoins de stabilité aux dépens de ses besoins d'exploration et de stimulation, plus elle résistera à la modification de ses comportements, de ses attitudes et de ses valeurs.

Pour la personne qui valorise la stabilité, le changement sera porteur d'une bonne dose d'anxiété, et elle pourra rapidement devenir sur la défensive ou hostile, ou encore complètement apathique (elle cesse d'investir de l'énergie d'une façon ou d'une autre).

La perception sélective

La perception sélective est un mécanisme psychologique par lequel l'individu a tendance à sélectionner les informations ou les événements, pour ne retenir que ceux qui confirment ses impressions ou ses comportements. Ce mécanisme fait que les gens en face d'une intention de changement qui les menace auront facilement tendance à retenir surtout les faits et données qui démontrent les mérites de la situation existante ou qui mettent en relief les difficultés et lacunes de la situation souhaitée.

La satisfaction des besoins

Chacun sait que les individus sont guidés dans leurs comportements par des besoins qu'ils tentent de satisfaire. Plus un changement viendra compromettre la satisfaction des besoins, de quelque ordre qu'ils soient, plus il risquera de susciter des résistances.

L'identification à la situation existante

Dans plusieurs cas, la situation que l'on désire changer a été mise en place par les destinataires eux-mêmes, ou encore ils s'y sont fortement identifiés. Ce sentiment d'appartenance fait que les gens deviennent méfiants à l'égard de toute action qui vient menacer la situation existante, car à travers le projet de changement, ils ont l'impression que c'est leur propre personne qui est discréditée, ce qui, malheureusement, est parfois le cas.

7.4.2. Les résistances liées au système social

La conformité aux normes

Lorsqu'une tentative de changement a pour conséquence de bouleverser l'équilibre des normes établies dans un système, la tendance des individus à se conformer à ces normes engendre des résistances plus ou moins fortes. Dans certaines organisations, on a vu des politiques bien pensées et bien formulées ne jamais être respectées, parce qu'elles étaient contraires aux normes respectées dans le milieu, comme par exemple la ponctualité aux réunions, le protocole dans les communications, les modalités de prise de décision.

La cohérence du système

Nous avons vu, quand nous avons parlé de l'analyse systémique, que les interactions entre le système et son environnement et entre les points d'entrée, de transformation et de sortie du système révèlent la plus grande cohérence. Quand on veut introduire un changement dans l'organisation d'un système, on doit tenir compte du fait que la dynamique systémique favorise la stabilité et l'homéostasie. Le changement risque de mettre en péril cette cohérence interne, provoquant alors une montée de résistance à l'intérieur du système.

Les intérêts et les droits acquis

Dans les sociétés industrielles dites avancées, le système socioéconomique, tout comme les systèmes organisationnels, présente une grande différenciation et une grande hiérarchisation aux plans du prestige, du pouvoir, de l'autonomie et des privilèges économiques. Dans la mesure où le changement remet en cause cette différenciation et cette hiérarchisation, on peut s'attendre à de la résistance de la part de ceux dont les intérêts sont menacés.

Le caractère sacré de certaines choses

Tout groupe organisé, toute société a ses standards de comportements et d'attitudes, qui portent les noms de tabous, rituels, mœurs et éthique. Plus le changement touchera à ces standards, plus la résistance sera vive.

Le rejet de ce qui est étranger

Ce qui est étranger et inconnu peut être perçu comme menaçant pour le système. Quand l'innovation qu'on veut introduire dans la dynamique d'un système est dissonante par rapport à ce qui y existe déjà, on peut s'attendre à ce que le système tente de résister à l'intrusion de l'élément dissonant.

7.4.3. Les résistances liées au mode d'introduction du changement

Tout ce qui a été dit jusqu'à maintenant sur les sources de résistance au changement vaut autant pour la nature du changement que pour le mode d'introduction. Ajoutons quelques sources de résistances particulières liées au mode d'introduction.

Le respect des personnes et des compétences

De plus en plus, dans notre société, on exige que la personne soit respectée et que chacun ait voix au chapitre. Cela rend les gens plus conscients de leur valeur et plus exigeants à cet égard. Par conséquent, une approche qui négligerait cet aspect des choses risquerait fort de susciter de vives réactions. C'est souvent ce qu'expriment les gens quand ils demandent à être consultés à l'approche d'un changement.

C'est ce qui est arrivé à un cadre qui, nouvellement nommé à la direction d'un service, a voulu imposer son style de gestion, en négligeant l'opinion du personnel. Cette approche s'est traduite par une baisse dans le rendement, par le départ progressif de plusieurs membres du personnel, qui sont allés chez un compétiteur, et par la nécessité d'investir plus d'un an pour former du nouveau personnel. Ces conséquences ont été tellement graves, qu'elles ont failli mettre en péril la survie financière de l'entreprise. Ainsi, parce qu'on n'avait pas pris en considération l'opinion du personnel, le changement, loin d'avoir produit les effets escomptés, a produit un effet contraire.

La dignité, le prestige et la sécurité intérieure sont, entre autres, trois éléments rattachés au respect de la personne, que l'on doit traiter avec tact si l'on ne veut pas, soi-même, créer des conditions qui engendreront des résistances, qu'il sera ensuite difficile d'éliminer.

Le temps et les moyens fournis pour s'adapter au changement

Des résistances peuvent surgir parce que les destinataires ont l'impression qu'on ne leur donne pas le temps nécessaire pour « apprivoiser » le changement ou qu'on ne leur fournit pas les moyens dont ils auraient besoin pour y faire face ; ils ont alors l'impression d'être bousculés par les événements. Ce serait le cas, par exemple, si on demandait à des enseignants de changer de pédagogie, sans leur fournir les moyens pour le faire ou sans leur donner le temps de concevoir un nouveau matériel pédagogique.

La crédibilité de l'agent

Plusieurs projets de changement se sont heurtés à un mur de résistance parce que ceux qui les mettaient en œuvre n'avaient pas la crédibilité suffisante. Étant donné toutes les sources d'insécurité qui accompagnent un projet de changement, les destinataires pourront essayer de trouver un peu de réconfort chez l'agent du changement. Si l'image de celui-ci est discréditée ou neutre à leurs yeux, il y aura là une nouvelle cause de résistance. C'est une situation qu'on rencontre fréquemment avec les gens qui sont marginaux dans les organisations. D'ailleurs, il peut arriver que les destinataires soient tellement préoccupés par l'image de l'agent, qu'ils négligent de s'intéresser véritablement au type de changement qu'il propose. Rappelons à cet égard ce qui a été dit au chapitre 2 sur le mécanisme d'identification dans un processus de changement.

7.5. Les attitudes à adopter à l'égard de la résistance au changement

Il ne saurait être question de prétendre qu'il existe des moyens qui automatiquement permettent d'éliminer la résistance. L'agent qui fait face à des résistances doit se référer à son diagnostic de la situation et à l'explication qu'il peut formuler maintenant au sujet de ces résistances pour décider de l'attitude à adopter.

La gamme des choix est large et dépend de l'analyse qui est faite de la situation. Elle peut aller du respect intégral des résistances, ce qui signifie le retrait pur et simple du projet de changement[2], jusqu'à l'ignorance totale des résistances, ce qui signifie en fait l'imposition, en passant par toute une série d'actions plus ou moins radicales.

Pour diminuer les résistances au changement, et encore une fois selon l'analyse qui aura été faite de la situation, on pourra :

a) écouter les expressions de résistance (parfois les encourager) et manifester de l'empathie ;
b) soumettre le projet aux intéressés pour :
   - profiter de leur contribution ;
   - leur permettre de s'en approprier ;
   - leur permettre de l'adapter à leur situation ;
c) adapter la durée de l'introduction aux besoins et capacités des destinataires (plus lentement ou plus vite, selon le cas) ;
d) mettre en place les moyens nécessaires pour faciliter la mise en œuvre du changement ;
e) faire en sorte que le changement puisse satisfaire un ou plusieurs des besoins décelés ;
f) adapter et le mode d'introduction et la nature du changement à la culture de l'organisation ;
g) mettre en relief les avantages du changement, sans en occulter les difficultés ou les lacunes ;
h) réduire dans la mesure du possible la part d'inconnu ;
i) réduire dans la mesure du possible les sources d'insécurité ;
j) trouver des appuis crédibles ;
k) inspirer confiance aux destinataires, autant quant à l'image de l'agent qu'à la qualité du projet ;
l) faire preuve d'ouverture quant aux possibilités de révision en cas de difficultés ;
m) être attentif pour ne pas être victime de jeux de pouvoir, étrangers au projet de changement même.

Ce sont là différentes façons de faire pour diminuer les résistances, et il y en a sûrement d'autres. Il ne faudrait cependant pas croire qu'on peut

2. Soit pour le proposer à nouveau à un moment plus opportun, soit parce qu'il s'avère non pertinent.

et qu'on doit toujours diminuer ou éliminer les résistances au changement. Certaines situations exigeront qu'on tolère ces résistances, sans qu'on puisse y faire grand-chose, en espérant que le changement de produit fasse ses preuves. À l'inverse, il peut être souhaitable dans certains cas que les résistances l'emportent sur les intentions de changement, car changement ne signifie pas forcément progrès.

Pour terminer, rappelons que la résistance constitue souvent le compagnon paradoxal de l'agent de changement, et que celui-ci doit s'attendre à devoir fréquenter ce compagnon aussi longtemps qu'il sera porteur de changement.

Questions-guides

1. *Quelles résistances risquent de se manifester à l'égard de l'entreprise de changement ?*
2. *Quelle est la signification de ces diverses résistances ?*
3. *Si nous étions à la place des destinataires, quelle serait notre propre réaction ?*
4. *Parmi ces résistances, lesquelles pense-t-on pouvoir diminuer ou éliminer ?*
5. *Quels moyens ou scénarios peut-on imaginer pour faire face à ces résistances ?*
6. *Dans quelle mesure ces résistances risquent-elles de compromettre l'implantation du changement ?*

CHAPITRE 8

UNE TAXONOMIE DES APPROCHES DU CHANGEMENT

Il y a plus d'une façon d'introduire un changement dans un système organisationnel. L'agent aura à choisir les façons de faire qui lui paraîtront les plus appropriées pour initier et implanter les changements qu'il souhaite. C'est pourquoi nous présentons dans ce chapitre, ainsi que dans le suivant, différents points de repère qui pourront l'aider à faire des choix judicieux. Dans le présent chapitre, nous nous attardons à une taxonomie d'approches du changement et dans le chapitre suivant nous nous intéressons au choix de la stratégie de gestion.

8.1. Les notions d'approche, de stratégie, de tactique

Dans la littérature sur le changement, la signification donnée à ces trois termes varie beaucoup d'un auteur à l'autre. Pour éviter qu'il y ait confusion, nous utiliserons dans cet ouvrage les définitions qui suivent.

8.1.1. La notion d'approche

L'approche est la conception qu'on se fait du changement dans les systèmes sociaux. Assez proche de l'idéologie, l'approche a souvent un caractère théorique et général. Elle représente le modèle que privilégie l'agent pour aborder la question du changement et par conséquent elle est souvent le reflet de ses valeurs. Par exemple, celui qui utiliserait une approche consensuelle pour envisager un changement exprimerait indirectement que sa conception du changement s'appuie sur un système de valeurs qui favorise la participation.

8.1.2. La notion de stratégie

Nous adopterons la définition que Noreau, Tessier et Tremblay[1] donnent de la stratégie : « l'ensemble des moyens et des tactiques mis en œuvre et des actions engagées par un agent sur un terrain donné en vue d'y atteindre un objectif spécifique ». Pour compléter cette définition, ajoutons que la stratégie est caractérisée par le choix de moyens d'action qui ont été privilégiés par rapport à d'autres qui auraient pu être choisis.

Ainsi, très souvent la stratégie prendra la forme d'un plan d'ensemble qui, en s'inscrivant dans une approche particulière, déterminera une gamme de moyens et de tactiques qui seront utilisés de préférence à d'autres, et qui seront orchestrés les uns par rapport aux autres.

8.1.3. La notion de tactique

La notion de tactique fait référence aux actions concrètes qui sont menées et résulte du choix des moyens et des façons de faire qui sont apparus les meilleurs, en tentant, d'une part, de refléter la stratégie retenue et, d'autre part, en considérant les différentes possibilités circonstantielles qui s'offrent dans l'environnement. La tactique a un caractère essentiellement ponctuel et circonstanciel. Elle vient opérationnaliser la stratégie privilégiée, en indiquant la façon particulière d'agir ou de réagir face à chacune des situations à aborder.

D'une certaine façon, *stratégie* et *tactique* recouvrent à peu près la même réalité, sauf que la stratégie a une dimension macroscopique, alors que la tactique a une dimension microscopique ; la stratégie supporte l'ensemble d'un objectif, les tactiques pour leur part s'adressent plutôt à la façon d'actualiser les actions sur le terrain.

---

1. J.-J. NOREAU, R. TESSIER et B. TREMBLAY, « La notion de stratégie de changement » *in* R. Tessier et Y. Tellier, *Changement planifié et développement des organisations*. Montréal, Les Éditions de l'I.F.G., 1973, p. 173.

8.2. Une taxonomie des approches du changement

Dans ce chapitre, nous nous emploierons à présenter différents types d'approches à l'intérieur desquelles l'agent de changement peut articuler ses choix. Chaque type d'approche présente des caractéristiques propres qui viendront colorer les actions de l'agent.

Nous avons classifié les divers types d'approches à l'intérieur de deux typologies qui permettront en quelque sorte de constituer une taxonomie des approches du changement. Les deux typologies retenues sont les suivantes :

- une typologie se rapportant à la conception du changement chez l'être humain ;
- une typologie se rapportant aux rapports entre l'agent et les destinataires.

Bien que les approches aient été classifiées dans deux typologies, elles ne s'excluent pas forcément d'une typologie à l'autre. En fait, il s'agit de deux portes d'entrée pour avoir accès à une même réalité, mais sous des angles différents.

8.3. Une typologie en fonction de la conception du changement chez l'être humain

Robert Chin et Kenneth Benne, dans l'important ouvrage *The Planning of Change*[2] présentent trois approches en rapport avec la conception que l'on a des sources et des motifs de changement chez l'être humain. Ce sont les approches empirico-rationnelles, les approches normatives-rééducatives et les approches coercitives.

8.3.1. Les approches empirico-rationnelles

Description

Ce type d'approche est probablement celui qui est le plus utilisé en Occident. Il s'appuie sur une tradition pédagogique de plusieurs siècles, fondée

2. R. CHIN et K.D. BENNE, « General Strategies for Effecting Changes in Human Systems » *in* W.G. Bennis, K.D. Benne et R. Chin (eds.), *The Planning of Change* (2e éd.), New York, Holt, Rinehart and Winston, 1969, p. 32-60.

elle-même sur le postulat que la personne est d'abord et avant tout un être pensant. Dans le cadre des stratégies empirico-rationnelles, l'agent de changement se voit comme le dépositaire d'un savoir qui légitime son intention de changement. Comme on estime que les gens sont rationnels et feront ce qui est dans leur intérêt, on s'attend à ce qu'ils adoptent des changements dans la mesure où l'on pourra les justifier rationnellement et que les destinataires pourront en voir les avantages. Ainsi, ce type d'approches consiste à s'adresser à la raison et à invoquer une série d'arguments qui démontreront le plus rationnellement possible le bien-fondé du changement proposé et les avantages à en tirer. En somme, on cherche à convaincre, en présumant qu'une fois convaincus, les gens passeront naturellement de l'idée à l'acte.

Quelques exemples : un organisme distribue à ses cadres des documents présentant des projets en qualité de vie au travail, en souhaitant que cela en amène certains à tenter des expériences de ce genre ; un cadre supérieur transmet à tout son personnel une note de service l'informant des difficultés financières, dans l'espoir qu'il se produise une augmentation de la productivité ; une organisation fait suivre un cours à ses chefs de services sur les nouvelles pratiques en gestion du personnel. Les gouvernements commanditeront ainsi de nombreuses campagnes de sécurité au volant dans l'espoir de modifier le comportement des conducteurs.

On dit de ces approches qu'elles sont empirico-rationnelles, parce que, d'une part, elles s'adressent surtout à la raison et, d'autre part, parce que pour prétendre à la rationalité et être convaincants, les arguments avancés devront être démontrables empiriquement. C'est pourquoi dans une multitude de brochures d'information, on s'efforce d'appuyer l'argumentation sur des expériences qui la confirment.

Les forces et les limites des approches empirico-rationnelles

Comme ces approches s'adressent d'abord et avant tout à la raison des destinataires, elles permettent de s'adresser à un grand nombre d'entre eux à la fois. En effet, les approches empirico-rationnelles ne requièrent pas la proximité ou le contact direct entre l'agent et le destinataire. Il suffit d'avoir accès à des moyens de communication de masse et de connaître les techniques qui en augmentent l'impact. De plus, comme la culture occidentale continue de valoriser l'intellect, les approches empirico-rationnelles utilisent un levier de changement familier à cette culture.

Toutefois, ces approches atteignent rapidement une limite quand il s'agit de modifier en profondeur des attitudes ancrées chez les destinataires. Nous avons vu précédemment que les attitudes ont une composante affective et que les stratégies de changement qui s'adressent d'abord et avant tout à la raison ne sont pas celles qui promettent le plus de succès à cet égard.

En conséquence, ce type d'approche peut modifier les opinions, mais il risque d'avoir moins d'impact sur les attitudes.

De plus, comme dans les approches empirico-rationnelles l'information ne circule habituellement que dans un sens, c'est-à-dire de l'agent vers le destinataire, l'agent se trouve peu informé des résultats immédiats de son action et n'est pas en mesure de remettre en cause son ou ses diagnostics au fur et à mesure du déroulement de l'action. D'autant que l'agent est souvent alors engagé dans une dynamique de propagande, où il tient à convaincre l'autre qu'il a raison.

Comme le destinataire ne communique pas de *feed-back* ou d'information en rétroaction à l'agent, il est en mesure, si le message est anxiogène, de se défendre contre celui-ci de façon fort efficace, en élaborant en circuit fermé des motifs de résistance qu'il n'affichera jamais et qui vont se consolider et lui permettre d'être relativement imperméable au message de changement.

8.3.2. Les approches normatives-rééducatives

Description

Ces approches s'appuient sur le postulat que la personne est d'abord et avant tout un être social. Sans nier la présence de rationalité chez l'être humain, elles s'appuient sur des postulats différents. Elles supposent que les actions et les comportements sont soutenus, renforcés, conditionnés par les normes et valeurs socioculturelles auxquelles adhèrent les membres d'un système. Ces normes socioculturelles sont enracinées dans le système d'attitudes et de valeurs de l'individu, lequel système est le fruit de l'éducation et de la culture du milieu.

Dans cette perspective, on estime que des changements pourront se produire uniquement lorsque les destinataires changeront leurs normes pour d'autres. Ces changements supposent des changements d'attitudes, de valeurs, d'habiletés et de groupes de référence. En fait, cette approche vise à éduquer les gens à de nouvelles attitudes et valeurs, et par conséquent elle privilégie dans une large mesure l'engagement personnel.

Quelques exemples : les employés d'un service se réunissent en session spéciale pour explorer leurs modes de communication ; un enseignant d'une école élémentaire organise une classe de neige avec ses élèves, à la suite de quoi il réunit tous les enseignants de l'école afin qu'ils puissent échanger avec lui sur leur vision des classes de plein air ; dans un cours sur le travail de groupe, les participants expérimentent leur façon habituelle de contribuer à la tâche d'un groupe.

Les forces et les limites des approches normatives-rééducatives

Les approches normatives-rééducatives sont probablement celles qui offrent les plus grandes chances de succès lorsqu'on désire changer des attitudes. En effet, puisqu'elles s'adressent à ce qui sous-tend la formation des attitudes, c'est-à-dire l'environnement psychosocial et normatif, elles permettent d'agir directement sur l'univers des attitudes.

Leur principale faiblesse réside dans le fait qu'elles ne permettent pas à l'agent de changement d'agir directement et rapidement sur un système social vaste et complet. En effet, les approches normatives-rééducatives tendent à faire une utilisation abondante de la structure du petit groupe, lequel est le plus propice à l'éclosion de nouvelles attitudes et de nouvelles normes. En outre, elles ont l'inconvénient de jouer sur un terrain particulièrement délicat : l'univers émotif des personnes. Enfin, elles exigent des destinataires une motivation réelle, pour accepter de se remettre en question.

8.3.3. Les approches coercitives

Description

Quand on envisage le changement sous l'angle des approches coercitives, c'est que l'on estime que ce qui gouverne le comportement des personnes, c'est une loi naturelle fondant l'organisation sociale, en vertu de laquelle les moins forts doivent céder aux plus forts. Ces approches s'appuient donc sur une utilisation contraignante du pouvoir sous toutes ses formes et visent à punir ceux qui s'écartent du changement proposé et à récompenser ceux qui y adhèrent. Elles consistent à décrire les nouveaux comportements à adopter et à prendre les moyens pour forcer les gens à les adopter, allant jusqu'à sévir auprès des récalcitrants.

Ces approches supposent que dans les processus d'influence, ceux qui ont peu de pouvoir céderont devant ceux qui en ont plus. Par conséquent, pour introduire des changements, il faudra d'abord acquérir le pouvoir nécessaire, pour ensuite l'exercer. Dans certains cas, on fera appel au pouvoir légitime et on procédera alors souvent par voie de règlements ou de lois. Dans d'autres cas, on fera appel à des formes de pouvoir moins officielles et plus ou moins légitimes afin d'acquérir l'influence recherchée.

Quelques exemples : une personne utilise son autorité dans une organisation pour décréter que désormais l'évaluation des cadres se fera au mérite ; en vue d'une prochaine élection municipale, un parti politique est formé et tentera de se faire élire pour ensuite pouvoir modifier les règlements concernant le zonage ; des travailleurs ralentissent la production afin d'obliger l'employeur à modifier son attitude à la table de négociations ; un gouvernement adopte une loi qui interdit l'usage du tabac dans les édifices publics.

Les forces et les limites des approches coercitives

Les approches coercitives ont le mérite d'être souvent expéditives. En effet, quand on dispose du pouvoir nécessaire à la réalisation d'un changement dans un système social, la voie coercitive est souvent celle qui est la plus économique en temps et énergie, du moins à court terme.

Toutefois, si ces approches ont le mérite d'épargner du temps et de l'énergie à la phase de la décision, il arrive souvent qu'elles consomment une quantité importante de temps et d'énergie au moment de l'implantation. En effet, quand les acteurs touchés par le changement ont l'impression d'être contraints à suivre une voie qui leur est tracée, contre leur gré, et qu'ils n'ont pas participé à l'élaboration du processus de changement, ils peuvent être tentés de boycotter ou à tout le moins de ralentir l'implantation du changement et ils disposent pour cela d'une gamme de moyens fort efficaces. Par conséquent, avec ce type d'approche il faut souvent ajouter des moyens pour assurer le respect du changement, et cela aussi longtemps qu'on veut que le nouveau comportement dure...

De plus, ces approches peuvent souvent apporter des gains à court terme et être très utiles dans des situations d'urgence, mais dans une perspective à plus long terme, elles risquent de modeler les rapports sociaux sur une trame de tension, d'affrontement et de rapports de force qui rendront le fonctionnement du système cahotique.

8.4. Une typologie en fonction des rapports entre l'agent et les destinataires[3]

On peut également envisager les approches du changement sous l'angle du type de relation que l'agent veut ou doit entretenir avec les destinataires. Distinguons ici trois types d'approches : des approches consensuelles, des approches conflictuelles et des approches marginales.

8.4.1. Les approches consensuelles

Description

L'idée maîtresse de ces approches se résumerait en quelques mots : « essayons de nous entendre ». Comme l'indique le terme *consensuel*, il s'agit d'approches où l'on veut introduire des changements par voie de consensus de groupe ou de consensus social. Ces approches s'appuient sur la conviction

3. Cette typologie est en partie inspirée de : François Médard, *Communauté locale et organisation communautaire aux États-Unis*, Paris, Armand Colin, 1969.

que c'est en suscitant des débats ouverts, permettant à tous les intéressés de contribuer à la recherche et à la définition des solutions, qu'on introduira les changements les plus adéquats en termes de qualité et les plus viables au plan de l'acceptation. Elles supposent également que des gens de bonne volonté qui réfléchissent à un problème sont capables de trouver un terrain d'entente satisfaisant. En somme, elles posent que la coopération est possible dans la mesure où l'on se place dans de bonnes conditions.

Dans les approches consensuelles, on tente donc d'introduire des changements en amenant les principaux acteurs à partager les décisions quant aux issues et aux moyens du changement.

Quelques exemples : un conseiller en développement organisationnel intervient au sein d'un organisme auprès de deux directions qui sont en conflit. Son intervention vise à permettre aux deux parties de mettre sur la table leurs perceptions de la partie adverse et leurs perceptions d'eux-mêmes en tant que groupe. Puis, les deux groupes sont mis en présence et, avec l'aide du consultant, dressent un ordre du jour qui comportera nécessairement les différents objets du litige. Il est présumé que ces deux groupes, une fois clarifiées les perceptions qu'ils ont mutuellement et réciproquement, pourront clarifier la situation et s'entendre sur des moyens qui devraient modifier le genre de relations qu'ils ont.

Un groupe de travailleurs et leur employeur décident d'étudier un problème et de convenir ensemble des moyens pour améliorer l'efficacité de l'entreprise. Une équipe d'animateurs profite de l'assemblée des usagers d'un CLSC[4] pour tenter d'amener la population à formuler plus clairement ses souhaits en ce qui a trait aux services et à participer davantage à l'élaboration des programmes offerts, ceci afin d'adapter le plus possible les services de l'organisme aux besoins de la population. Il est donc présumé que les désirs de l'un et de l'autre sont compatibles et peuvent être l'objet d'une entente.

Les forces et les limites des approches consensuelles

Une des principales forces des approches consensuelles est qu'elles produisent habituellement un effet de halo assez considérable. En effet, lorsque les approches consensuelles sont utilisées avec succès dans la résolution d'un problème affectant un système, on observe souvent qu'en plus de régler le litige qui les oppose, les parties tendent également à se rapprocher de façon significative par rapport à d'autres questions que celles qui sont directement touchées. En fait, la mise à jour des aspirations des différents acteurs dans un système social et les expériences en commun réussies sont souvent de nature à favoriser à long terme un rapprochement entre ces acteurs.

4. CLSC : Centre local de services communautaires.

De plus, comme le changement implanté résulte d'un consensus, il est rare de trouver dans le milieu des réactions importantes d'opposition et des revendications. Celles-ci auront en effet pu se faire entendre tout au long du déroulement de l'action. La conséquence est donc que les approches consensuelles semblent demander beaucoup d'énergie et de temps à la phase de décision, mais une fois les décisions prises par les acteurs, ces approches ne nécessitent que très peu d'énergie pour l'« entretien » aux diverses étapes de l'implantation du changement.

Elles ont cependant des lacunes. Premièrement, il faut habituellement que les groupes concernés aient des objectifs ou des intérêts relativement convergents, sans quoi tout consensus solide est impossible. Deuxièmement, elles peuvent déboucher sur des concessions tellement importantes de part et d'autre que les résultats obtenus seront très éloignés des besoins exprimés au départ, avec la conséquence que la motivation des destinataires pourra baisser, ou encore que ceux-ci auront l'impression de n'avoir rien changé. Enfin, ces approches peuvent masquer des enjeux de pouvoir ou des zones de conflit, par ailleurs très réels, et ainsi déplacer l'attention sur des cibles de seconde importance, à savoir celles où des consensus sont possibles.

8.4.2. Les approches conflictuelles

Description

Ici l'idée maîtresse serait : « il faut se battre pour gagner ce que l'on veut ». Contrairement aux approches précédentes, celles-ci supposent que les groupes sont inévitablement inscrits dans un rapport de force et que leur situation sociale est déterminée par leurs forces ou leurs faiblesses relatives. Par conséquent, pour changer la situation existante, il leur faut mobiliser un pouvoir supérieur à celui de l'adversaire. Or, le pouvoir est vu comme une variable à somme nulle, avec la conséquence que le pouvoir dont s'approprie un groupe est forcément enlevé à un autre. Il en résulte automatiquement une situation de conflit entre les groupes, car on postule que personne *a priori* n'est intéressé à réduire ses privilèges de façon significative en faveur d'un groupe moins puissant. On en conclut qu'il faut reconnaître cette réalité conflictuelle et envisager des moyens appropriés. Comme, dans un rapport de force, le plus fort l'emporte, il faut trouver des moyens pour augmenter sa force ou réduire celle de l'autre afin de gagner la bataille.

En bref, les approches conflictuelles consistent à bien localiser l'adversaire, à engager le conflit et à tenter de le gagner pour obtenir les changements qu'on désire.

Un exemple : le responsable d'un service provoque un conflit avec le service du personnel et tente de se faire des alliés dans d'autres services pour obtenir que soient changées les politiques de recrutement et d'embauche du personnel.

On peut également inclure parmi les approches conflictuelles: les grèves et les *lock-out*, les manifestations publiques, le boycottage d'un produit ou d'un pays, etc.

Les forces et les limites des approches conflictuelles

Les approches conflictuelles tendent à favoriser la cohésion, la solidarisation au sein du groupe qui s'engage dans un rapport de force contre un adversaire. En effet, on observe depuis longtemps que les situations de conflit sont de nature à renforcer les liens entre les partenaires d'une entreprise de changement et sont également de nature à consolider le leadership au sein du système. De plus, il arrive qu'une fois mobilisé autour d'un objet de conflit, le système social se mette à faire des gains secondaires importants sur d'autres tableaux.

Ces approches présentent toutefois des difficultés. D'abord, il faut que le niveau d'insatisfaction soit suffisamment élevé pour susciter assez d'agressivité chez les destinataires. Deuxièmement, il faut que ceux-ci soient très engagés dans le projet pour accepter de prendre des risques liés au conflit (se faire des ennemis, s'exposer à la critique, à l'affrontement). Troisièmement, il faut généralement que l'on puisse obtenir des résultats à court terme, sans quoi on s'expose à la fatigue, au doute, au découragement et au défaitisme. Quatrièmement, il faut que les objets de conflit soient évidents si l'on veut obtenir le plus de crédibilité possible auprès des troupes, ce qui amènera les agents de changement à utiliser des tactiques comme la personnalisation de l'ennemi, c'est-à-dire faire porter le poids de la contestation ou du rapport de force sur une personne plutôt que sur un objet vague, abstrait ou anonyme. Enfin, le conflit terminé, il risque de rester des séquelles durables entre les adversaires, surtout chez ceux qui devront continuer à coexister, sans compter que les perdants pourront entretenir de l'amertume, ce qui les amènera, d'une part, à ne pas collaborer à l'implantation du changement et, d'autre part, à trouver toutes sortes de raisons pour le dénigrer, et même le saboter.

8.4.3. Les approches marginales

Description

Ici, le thème pourrait être: « Changeons, pour nous, ce que nous avons le goût de changer ». Contrairement aux deux autres types d'approches, celles-ci s'appuient sur une rupture plus ou moins prononcée des relations avec les autres groupes de l'environnement. Elle posent, pour différentes raisons, qu'il est inutile de vouloir influencer les autres pour les changer, et qu'il est préférable de changer ce que l'on veut, pour soi, indépendamment des contraintes de l'environnement. En pratique, ces approches débouchent souvent sur des regroupements plus ou moins officiels de personnes qui souhaitent des changements identiques et qui organisent leur propre environnement de façon à pouvoir y introduire ces changements. En somme, ces personnes se retirent de la culture du milieu afin de créer une culture originale qui les satisfasse davantage. Ces approches s'appuient souvent sur l'espoir caché qu'on fera la preuve de la valeur de ces changements et que cela aura une influence sur le reste de l'environnement.

Sur certains points, ces approches empruntent aux deux précédentes. Elles sont consensuelles, en ce sens qu'elles s'adressent directement à ceux qui veulent et peuvent s'entendre sur des objectifs de changement. Elles sont conflictuelles, en ce sens qu'au plan symbolique, elles communiquent clairement à l'environnement social un désaccord ou un conflit d'intérêt suffisamment important pour que l'on désire s'en retirer.

Quelques exemples d'approches marginales : les communes, certaines sectes religieuses, les mode contre-culturelles avec leurs habitudes alimentaires et leurs habitudes de consommation, de nouvelles formes d'entreprises de production, de nouvelles formes de possession et d'administration des biens.

Les forces et les limites des approches marginales

La principale qualité des approches marginales réside dans le fait qu'elles permettent aux acteurs qui vivent le changement de se soustraire jusqu'à un certain point aux contraintes qui leur sont imposées par un système social plus large, plus vaste et plus puissant qu'eux. Étant ainsi en marge de ce système, les partenaires du changement auront davantage de latitude pour expérimenter des formes d'organisation plus compatibles avec leurs besoins. En outre, comme ils n'exercent pas de pressions directes sur l'environnement, celui-ci peut devenir moins défensif et par conséquent plus ouvert à certaines nouveautés.

Ces approches ont toutefois des points faibles. D'une part, dès qu'un système social se retire d'un environnement plus large pour mener des expériences de vie davantage en accord avec les besoins de ses membres, ce système risque de se mettre en état d'insuffisance de renforcements sociaux de la part des autres systèmes. D'autre part, on a observé que plusieurs expériences marginales ont été récupérées par le système qu'elles visaient à modifier.

Quant à la partie conflictuelle des approches marginales, c'est-à-dire cette partie de l'approche qui fait que secrètement on entretient l'espoir de communiquer aux autres systèmes un désaccord tel qu'il puisse être motivé à changer, on peut affirmer sans risque de se tromper, que le système économique dans lequel nous vivons est en mesure de tolérer une très large part de dissidence sans que son processus de production soit significativement affecté.

8.5. Le choix d'une approche

Selon la conception qu'il a du changement dans les systèmes humains ou selon le type de rapport qu'il veut entretenir avec les destinataires, l'agent aura tendance à privilégier l'une ou l'autre des approches qui ont été présentées. En fait, l'approche qu'il choisira sera en bonne partie le reflet de ses valeurs.

Par ailleurs, plus l'agent sera conscient du choix qu'il est spontanément tenté de faire, plus il sera en mesure d'évaluer si cette approche est adaptée à la situation particulière à laquelle il fait face, et par conséquent, moins il risquera d'être victime de ses propres déterminismes culturels. En effet, il se peut que l'approche pour laquelle il opterait spontanément soit inappropriée compte tenu des caractéristiques de la situation. Ce serait probablement le cas si quelqu'un optait spontanément pour une approche consensuelle dans un contexte où les destinataires manifesteraient de façon évidente un refus à toute forme de changement significatif. Ce serait aussi le cas si, dans une situation où les gens seraient parfaitement ouverts au changement, l'agent s'engageait dans une approche conflictuelle.

En conséquence, on ne devrait pas considérer l'une ou l'autre des approches qui précèdent comme bonne ou mauvaise en soi. En fait, c'est l'analyse qui aura été faite de la situation qui devrait guider dans le choix de l'approche, celle-ci déterminant par la suite le genre de stratégies auxquelles on aura recours.

Jusqu'ici, les diverses approches ont été présentées de façon cloisonnée. Dans la réalité, les occasions seront nombreuses où il faudra inventer des scénarios d'action qui empruntent à plus d'une approche, ne serait-ce que pour tenir compte de l'évolution de la situation. Ainsi, dans certains cas, on pourra passer d'une approche conflictuelle à une approche consensuelle, ou l'inverse. Dans d'autres cas, on pourra combiner les approches.

Questions-guides

1. *Quelles sont les différentes approches qui pourraient être utilisées pour implanter le changement dans notre organisation ?*
2. *Étant donné la situation qu'on veut changer, de quel type pourrait être l'approche :*
   A- de type empirico-rationnelle ?
   B- de type normative-rééducative ?
   C- de type coercitive ?
   D- de type consensuelle ?
   E- de type conflictuelle ?
   F- de type marginale ?
3. *Quelles seraient les forces et limites de chacune de ces approches ?*
4. *En s'inspirant de l'ensemble de ces approches, quels pourraient être les différents scénarios d'action ?*

CHAPITRE 9

LA DIMENSION DU POUVOIR ET LE CHOIX D'UNE STRATÉGIE

À ne rien faire, on peut en arriver
à croire qu'il n'y a rien à faire.

En s'inspirant de l'approche qu'il veut privilégier, l'agent doit concevoir une stratégie qui lui permettra de trouver et d'agencer les différentes actions qu'il devra mener à l'intérieur du projet de changement.

Nous avons présenté dans les pages qui précèdent, une certaine méthodologie pour agir sur les systèmes organisationnels, ainsi que différentes approches pour encadrer le changement. Nous tenterons maintenant de développer quelques considérations théoriques et pratiques sur le choix d'une stratégie de gestion, en nous intéressant spécialement à un volet souvent négligé dans l'entreprise de changement : celui du pouvoir de l'agent à l'intérieur du réseau de relations qui tissent le champ de son action.

La réalité quotidienne du pouvoir et de l'influence se situe au cœur même de la vie des systèmes sociaux. En effet, la mise en valeur de même que l'exploitation des ressources d'une organisation supposent l'existence de réseaux formels et informels à travers lesquels sont organisées l'attribution des responsabilités et l'assignation des tâches. Or, l'agir de l'agent de changement ou du gestionnaire responsable s'actualise à l'intérieur même de ces réseaux qu'il désire modifier, soit dans leur configuration, soit dans leurs produits. Faute d'en tenir compte, il néglige une partie importante de la réalité. Celle-ci ne tardera pas à rappeler au fautif l'importance de ces réseaux dans l'organisation de la vie quotidienne des systèmes sociaux.

9.1. Le pouvoir et ses mystifications

Pouvoir ! Il suffit de prononcer le mot pour réveiller une charge émotive chez beaucoup de gens et surtout pour ouvrir la porte à de multiples interprétations. Pour de nombreuses personnes, le concept même de pouvoir fait peur, il constitue une sorte de tabou. On évite d'en parler, sinon pour en condamner l'usage qui évoque l'excès ! Tout professeur de gestion qui aborde les concepts de pouvoir et d'autorité sera en mesure de constater que jeunes et moins jeunes entretiennent, sinon du mépris, du moins de la méfiance à l'égard du pouvoir et d'une de ses manifestations, l'autorité. Les expressions et les images les plus fréquemment associées au pouvoir sont domination, violence, abus, manipulation, exploitation, guerre, tyrannie. Il faut reconnaître que l'histoire de l'humanité offre suffisamment d'exemples déplorables pour expliquer cette perception négative. Les événements contemporains ne contribuent pas à modifier cette perception ; qu'on pense aux purifications ethniques, aux événements tragiques dans certaines sectes, aux intégrismes de tout genre…

Faut-il consulter, inciter, imposer ? Autant de questions auxquelles plusieurs souhaiteraient obtenir une réponse simple, unique et définitive, mais auxquelles on ne saurait répondre intelligemment sans considérer à chaque fois un grand nombre de facteurs. En effet, nous estimons que seul un examen sérieux du contexte particulier dans lequel se déroule un projet de changement peut permettre de faire des choix éclairés et efficaces. Lorsqu'il est question de la notion de pouvoir dans le contexte du changement, il convient de ne pas se laisser prendre au piège des théories « simples et souveraines », et il faut se résoudre au caractère inéluctablement situationnel des jeux d'influence.

9.2. Une définition du pouvoir

Dans cet esprit, puisqu'il s'agit de comprendre les interactions de pouvoir, une définition interactionnelle sera retenue. Nous proposons la définition que Peter Blau[1] donne du pouvoir : « la capacité qu'a un individu ou un

1. Peter BLAU, *Exchange and Power in Social Life*, New York, John Wiley and Sons, 1964, 352 pages.

groupe d'obtenir que quelqu'un fasse ou pense quelque chose qu'il n'aurait ni fait ni pensé autrement». Cette façon d'envisager les phénomènes de pouvoir est donc très proche de ce que nous entendons par changement dans un système social. En effet, on tente d'obtenir que quelqu'un fasse ou pense quelque chose qu'il n'aurait ni fait ni pensé autrement.

Pouvoir et changement sont donc intimement liés et l'on ne peut imaginer l'exercice de l'un sans la présence de l'autre. Qui a du pouvoir obtient des changements ; qui a fait changer a eu du pouvoir. Pour mettre davantage en lumière la centralité de l'exercice d'un certain pouvoir par l'agent de changement, revoyons quelques champs classiques d'intervention, soit : les petits groupes, les organisations formelles et le développement communautaire.

9.2.1. Les petits groupes

Le psychologue québécois Yves St-Arnaud s'est beaucoup intéressé à la cohésion et à l'efficacité dans les groupes restreints. Dans sa théorie du groupe optimal[2], il affirme que le groupe à pleine maturité est celui qui utilise de façon « optimale » ses énergies de production, de solidarité et d'entretien. Par extension, on pourrait dire, pour tenir compte de la dynamique du pouvoir lors d'une intervention au sein d'un petit groupe, que l'action de l'animateur de groupe consiste à « obtenir que les membres pensent et agissent de façon à optimiser l'utilisation qu'ils font de leurs énergies de production, de solidarité et d'entretien », et que cette optimisation ne se serait pas concrétisée, du moins pas aussi rapidement, sans l'intervention de l'animateur. Il y aurait donc là exercice de pouvoir.

9.2.2. Les organisations formelles

Les organisations formelles constituent un champ d'action très fécond pour les agents de changement. Qu'on pense seulement aux nombreuses actions de développement organisationnel, de qualité de vie au travail et d'écologie organisationnelle qui se font dans les grandes bureaucraties gouvernementales, pour ne nommer qu'elles. Pour reprendre les termes de Beckhard, l'agent de développement organisationnel « intervient pour aider l'organisation à mettre en cause ses processus, de façon à augmenter sa santé et son efficacité ». Là encore, on s'aperçoit que l'agent de changement peut influencer le système-client pour qu'il pense et agisse de façon à remettre en question ses processus.

---

2. Yves ST-ARNAUD, *Les petits groupes, participation et communication*, Montréal, Les Presses de l'Université de Montréal, Les Éditions du CIM, 1978.

9.2.3. Le développement communautaire

On peut, en paraphrasant Alinsky, décrire le développement communautaire comme étant le fait de promouvoir la cohésion des membres de la communauté afin que ceux-ci puissent faire reconnaître leurs droits et trouver satisfaction à leurs besoins. Ainsi, l'agent de développement communautaire, par ses actions, peut aider les membres de la communauté à penser et à agir de façon à faire reconnaître leurs droits et à satisfaire leurs besoins.

9.3. Les sources de pouvoir

Comme nous l'avons déjà signalé, il n'existe pas de «bonne» façon d'influencer, pas plus qu'il n'existe d'unique source de pouvoir, fût-ce l'argent, la légitimité, l'information. Personne n'a encore réussi à cerner de facteur unique qui expliquerait pourquoi tel acteur, dans telle situation est en mesure d'obtenir de tels autres acteurs tels comportements. Ce n'est donc pas tant le fait de détenir telle information ou tel moyen de production qui permet à quelqu'un d'avoir du pouvoir dans une situation donnée, mais bien le fait que cette information ou ce moyen de production soit valorisé par ceux que l'on veut influencer. Nous définirons donc la source du pouvoir comme étant:

> la détention réelle ou présumée de ressources valorisées par les personnes visées.

La relation entre le pouvoir de quelqu'un (ses capacités valorisées) et l'impact de ce pouvoir sur les destinataires se concrétise dans ce qu'on appelle le *processus d'influence*. Par ses façons de faire, les méthodes ou les moyens qu'il utilise, l'agent de changement tente de traduire dans la réalité son objectif de changement. Le pouvoir relève donc de l'intention, du désir et des capacités personnelles de quelqu'un, alors que l'influence se situe sur le plan de l'agir, des moyens utilisés pour actualiser une intention qu'on a transformée en objectif.

Compte tenu de ce qui précède, il nous apparaît souhaitable que l'agent de changement résiste à l'euphorie du pouvoir de l'expert, pour se concentrer sur la tâche, plus complexe mais plus féconde, de dépister les ressources qui sont valorisées par le système visé et de voir à afficher et à mobiliser ces ressources dans l'action. Ce processus de dépistage et de mobilisation des ressources propres à assurer le pouvoir de l'agent de changement peut être découpé grossièrement en quatre types d'opérations ou de préoccupations.

9.3.1. Savoir ce que valorisent ceux qui doivent être influencés

Sachant que l'agent n'aura de pouvoir dans son action que dans la mesure où il détiendra ou semblera détenir des ressources valorisées par ceux dont il voudra modifier la conduite, il devient évident que l'agent doit déterminer correctement quelles sont les ressources valorisées par les destinataires du changement. Ces ressources peuvent être très concrètes (argent, force physique, formation scolaire) ou abstraites (connaissances, façon de s'exprimer, mémoire, culture). Ce processus de valorisation des ressources est soumis à des tensions permanentes entre la turbulence des événements et la stabilité du système social où ceux-ci se produisent. L'agent devra tenir compte de ces deux aspects dans l'analyse qu'il fait des besoins et caractéristiques du système.

Dans la figure 9.1, on peut voir que les ressources sont symboliquement décodées par les destinataires de l'influence, et ce, dans des proportions variables, en fonction de motifs soit culturels, soit fonctionnels. En effet, les ressources que détiennent les agents d'une entreprise de changement ne sont pas valorisées de façon absolue et permanente, mais de façon situationnelle. À tel moment, le fait que l'agent de changement soit étranger à la culture du système se révèlera être un handicap. Toutefois, à la faveur d'une situation d'urgence, il se pourrait que celui-ci détienne des atouts majeurs en ce qui a trait à la tâche ou au contexte particulier.

FIGURE 9.1
Les variables culturelles et fonctionnelles dans l'exercice de l'influence

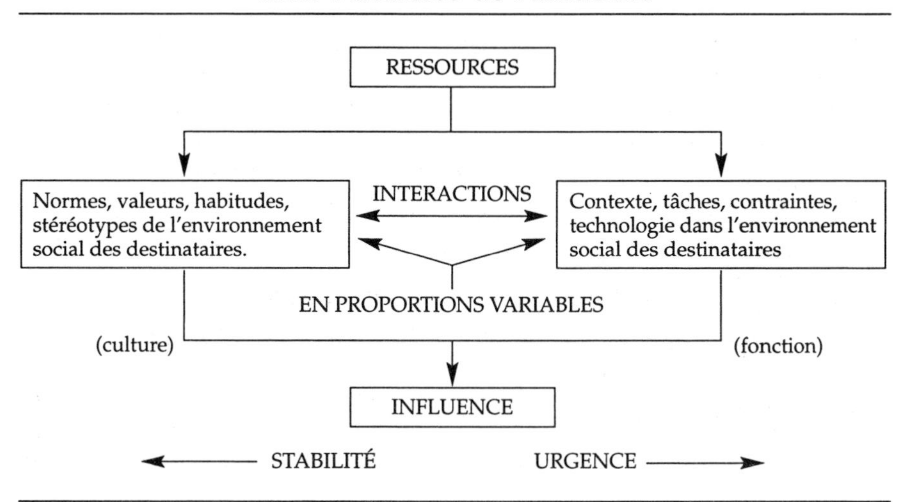

Citons cet exemple du membre d'une équipe de travail qui était marginalisé par les autres à cause de ses manières un peu agressives et de sa tendance à susciter des conflits avec ses collègues, ce qui contrastait avec la culture de ces derniers qui eux privilégiaient la bonne entente et un langage amical. Il en résultait que ses différentes tentatives en vue d'influencer l'équipe sur divers points se soldaient souvent par des échecs. Vint un jour où la survie de l'équipe fut menacée par des pressions venant d'autres groupes dans l'organisation, qui contestaient ses pratiques et même son existence. L'équipe dut alors mobiliser ses ressources pour se défendre contre ces agressions et faire valoir son point de vue. Il s'avéra que la personne la plus habile pour discuter dans un tel contexte était le membre marginalisé, car il disposait de ressources personnelles qui correspondaient aux besoins de la situation. Il se trouva donc alors dans une position où il pouvait aider l'équipe à prendre des mesures susceptibles de préserver l'intégrité de l'équipe, et de fait celle-ci devint réceptive à son influence. À cause de cet événement dans l'environnement du système, le membre vit ses ressources valorisées tout à coup au point de voir son influence augmenter considérablement. Ainsi, à la faveur de l'évolution rapide de la situation, il se trouvait désormais à détenir des ressources valorisées par son organisation ; celles-là mêmes qui dans une large mesure l'avaient placé jusque-là dans un état de relative impuissance.

De façon générale, on peut dire qu'il faut constamment être à l'affût de l'évolution de la situation sur l'axe culture/fonction, et que l'urgence d'une situation tendra à déplacer le processus de valorisation des ressources vers les variables fonctionnelles.

9.3.2. Connaître ses propres ressources

Puisque le pouvoir de l'agent de changement s'appuie sur ses ressources, il est évident qu'il a intérêt non seulement à bien les connaître, mais encore à les développer de façon à disposer d'un ensemble de ressources variées et riches. Cela lui permettra d'avoir cette indispensable flexibilité qui fait que les agents les plus habiles sont ceux qui peuvent, avec une égale aisance, se mouvoir dans des cultures et des situations variées.

9.3.3. Faire voir la correspondance entre ses ressources et les besoins du système

Il ne suffit pas que l'agent de changement détienne certaines ressources et que celles-ci soient valorisées par ceux qu'il désire influencer. Encore faut-il que les destinataires soient informés du fait que l'agent a des habiletés, caractéristiques personnelles, contacts personnels ou informations qui seraient de nature à leur être utiles. L'agent doit donc faire en sorte de communiquer, soit explicitement, soit implicitement, les informations favorisant l'établissement de sa base de pouvoir. Toutefois, cette opération pourrait s'avérer particulièrement délicate dans un environnement qui valoriserait la modestie, car alors l'agent, voulant faire connaître ses ressources, risquerait d'afficher par le fait même une ressource dévalorisée, soit la confiance en ses moyens.

9.3.4. Savoir ce que soi-même on valorise

Les processus de pouvoir s'exercent rarement à sens unique. L'agent de changement ne peut espérer entretenir des rapports unidirectionnels avec les destinataires de son action. Dans la perspective d'échanges, il est important qu'il soit clair quant à ce que lui-même valorise. Aura-t-il besoin de l'engagement explicite de telle figure d'autorité pour mener son projet à terme ? Risque-t-il de compromettre sa propre position dans un système dont il fait partie ? Ressent-il, au moment où il agit, le besoin d'être accepté, approuvé, apprécié ? Voilà autant de questions qui appellent des réponses aussi lucides que possible, sans quoi on risque de prendre des virages inopportuns afin de sauvegarder ce que l'on croit être en péril. Il importe donc que l'agent de changement clarifie ces « aires aveugles », parce qu'il doit être en mesure de prévoir minimalement les voies par lesquelles il risque d'être neutralisé dans un processus d'échange pour satisfaire ses besoins.

9.4. Une illustration

Afin de bien illustrer le genre de démarche à laquelle nous faisons allusion, voici un exemple d'action où l'agent, au fur et à mesure que se développe sa relation avec le système, voit à maintenir et à consolider cette base de pouvoir sans laquelle il lui est impossible d'agir de façon significative. Nous avons placé en exergue des commentaires critiques inspirés de la grille d'analyse que nous avons jusqu'ici développée. L'action se déroule au sein d'un département de CEGEP. Elle met en présence, lors d'une rencontre de prédiagnostic, un consultant et les deux représentants à la coordination départementale.

Description	Commentaires
Représentant 1 – Nous voulons que tu nous aides à prendre une décision en groupe concernant la distribution du travail au département. Depuis plusieurs années, nous avons laissé s'installer une situation qui privilégie certains d'entre nous, alors que d'autres ont des charges plus considérables. À chaque fois que nous avons tenté de changer la situation, nous nous sommes retrouvés avec des conflits, de la rancune et l'impression d'être dans un cul-de-sac.	
Consultant – Quels sont les objectifs que vous souhaitez atteindre au terme de cette intervention ?	Qu'est-ce que vous valorisez ?
Représentant 1 – Nous voulons nous retrouver avec une distribution équitable.	La justice et l'équité.
Représentant 2 – ...et que les gens soient satisfaits.	... Et l'harmonie.
Consultant – Tous les gens ?	Jusqu'à quel point valorisez-vous l'harmonie ? Beaucoup ?
Représentant 1 – Bien... oui.	Beaucoup.
Consultant – Qu'avez-vous fait jusqu'à maintenant pour tenter de solutionner le problème ?	Avez-vous ou avez-vous eu accès à d'autres ressources pour obtenir ce que vous valorisez ?
Représentant 1 – Nous l'avons abordé plusieurs fois en réunion départementale, mais nous étions peut-être trop nombreux ...	Nous n'avons pas dans le groupe les ressources nécessaires pour nous en sortir.
Représentant 2 – Nous avons aussi fait appel à un consultant en relations humaines. Nous nous sommes expliqués sur certains vieux conflits. Nous avons alors cru que ça irait mieux après et que nous pourrions mieux nous attaquer au problème du partage des tâches, mais...	Nous avons valorisé la bonne entente et avons fait appel à quelqu'un qui détenait les ressources nécessaires pour nous y aider, mais cela a échoué. Nous avons clarifié les relations, mais le problème n'est pas solutionné.
Consultant – Combien y a-t-il de personnes qui sont actuellement avantagées par la situation ?	Si je tente d'influencer la situation, combien de personnes dévaloriseront mes ressources ?
Représentant 1 – Trois ou quatre sur un groupe d'environ trente personnes.	Une minorité (15 %).
Consultant – Et vous-mêmes, faites-vous partie de ceux qui y perdraient à ce que la situation change ; en d'autres mots, la distribution actuelle vous avantage-t-elle ?	Cette minorité détient-elle des ressources valorisées par le groupe ?

Description	Commentaires
Représentant 2 – Moi je fais partie de ceux dont on dit qu'ils sont avantagés par le système actuel. Je suis prêt à le revoir, mais pas à n'importe quel prix. Je ne veux pas remplacer une injustice par une vengeance. C'est pourquoi je trouve important qu'on y aille prudemment et qu'on tente de trouver un consensus afin de s'assurer que les gens soient satisfaits.	L'un des deux représentants en fait partie. Il valorise le fait d'être perçu comme étant de bonne foi. Il détient des ressources que le consultant valorise et n'appuiera celui-ci que dans la mesure où le changement est raisonnable.
Consultant – Dans l'état actuel de votre demande, je crains de ne pas pouvoir vous aider. Vous me semblez poursuivre de bonne foi deux objectifs opposés et, il n'est pas étonnant que jusqu'ici, vous n'ayez pas réussi à vous entendre. J'estime moi aussi qu'il faut protéger la qualité de la vie départementale et qu'en règle générale, le mode consensuel favorise le maintien d'un climat vivable. Toutefois je ne crois pas qu'il soit réaliste de rechercher un tel consensus quand il s'agit d'enlever des privilèges à un sous-groupe. De deux choses l'une : ou bien vous voulez rétablir un certain équilibre dans la répartition des tâches, ou bien vous voulez préserver le « déséquilibre harmonieux » dans lequel vous vous trouvez. Pour vous aider, il faudrait que vous ou les gens concernés choisissent l'une ou l'autre des options.	Vous avez essayé d'autres avenues et cela n'a rien donné. Vous valorisez l'équité et j'ai des ressources professionnelles qui peuvent vous aider à l'obtenir. J'ai des attitudes proches de celles du représentant 2, mais je refuse en toute intégrité de poursuivre l'illusion du consensus. Je valorise votre appui éventuel, mais pas au point de le payer du prix de ma liberté de manœuvre.

Voici donc comment les préoccupations autour de la question du pouvoir restent en latence et colorent les relations entre l'agent et le client.

En plus des stratégies d'acquisition du pouvoir, comme celles que nous avons examinées, on rencontre des stratégies de neutralisation ou de maintien. Toutefois, la présentation de ces autres stratégies déborderait largement le cadre de ce chapitre[3].

9.5. Le pouvoir et le choix d'une stratégie

Ayant esquissé les grandes lignes d'une théorie sur l'exercice du pouvoir dans les systèmes sociaux, nous pouvons maintenant nous attaquer à la question du choix d'une stratégie.

3. Voir *Pouvoir, leadership et autorité dans les organisations*. Pierre Collerette, Presses de l'Université du Québec, 1991.

Comme l'acceptation du changement de la part des destinataires s'opère essentiellement au travers d'un processus d'influence, l'agent doit accorder une attention particulière aux processus d'influence à l'intérieur de sa stratégie, pour ensuite choisir les moyens auxquels il fera appel. Il a donc avantage à s'interroger sur ses sources de pouvoir, de façon à évaluer comment il tentera de répartir l'influence entre lui et les destinataires. Comme nous l'avons déjà dit, plus l'agent détient des ressources valorisées et qui sont connues des destinataires, plus les destinataires sont perméables à son influence.

Selon la quantité et la qualité des ressources qu'il détient, l'agent peut faire appel à toute une gamme de stratégies de gestion du changement, qui vont de l'imposition jusqu'à la non-intervention sur le contenu. On peut illustrer sept de ces stratégies à l'aide de la figure 9.2, où sont départagés le pouvoir de l'agent et celui des destinataires.

FIGURE 9.2
Sept stratégies en fonction du pouvoir de l'agent

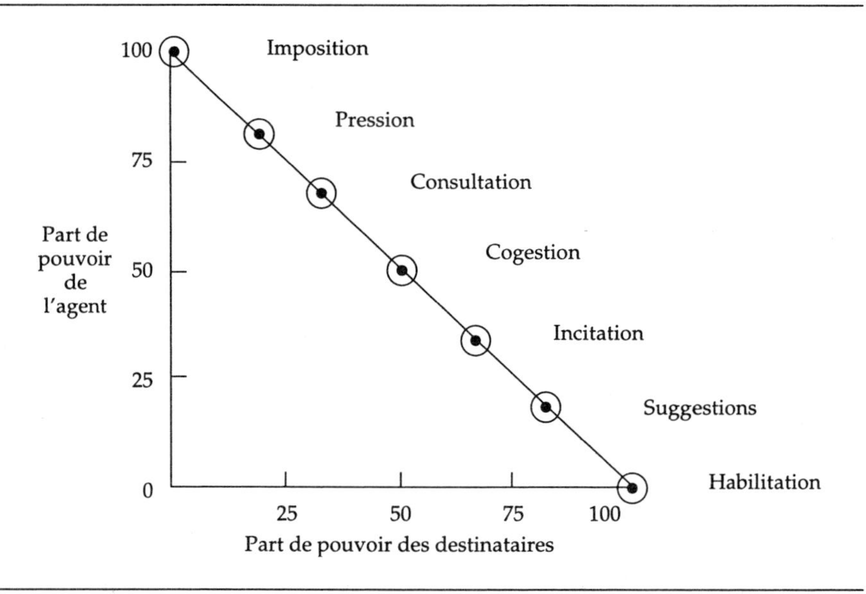

Dans la logique de ce tableau, on présume que plus l'agent détient des ressources valorisées par les destinataires par rapport à la cible de changement, plus il a de pouvoir et, par conséquent, plus il lui est loisible d'utiliser des stratégies se rapprochant de l'imposition. À l'inverse, moins l'agent détient de ressources valorisées par les destinataires, moins il a de pouvoir et, par conséquent, moins il lui est possible d'utiliser des stratégies contraignantes.

Il faut bien remarquer que la position des stratégies sur l'axe diagonal ne correspond pas à un pourcentage exact de pouvoir. Elle indique davantage un ordre de grandeur qu'un chiffre absolu, une zone plutôt qu'un lieu fixe.

Dans la dynamique du tableau, chaque point sur la diagonale suggère la stratégie la plus contraignante que l'agent peut, avec réalisme, se permettre d'utiliser, compte tenu de la quantité de pouvoir qu'il détient. Selon ce modèle, on doit constater qu'un agent ne peut se permettre de recourir aux stratégies qui nécessitent plus de pouvoir qu'il n'en a ; cependant, rien ne l'empêche de faire appel à toutes les stratégies qui demandent moins de pouvoir que ce qu'on lui reconnaît.

Soulignons qu'on doit situer l'agent dans ce tableau en fonction du pouvoir réel qu'il détient et non en fonction de ses ambitions. Ainsi, on a souvent vu des personnes très engagées par rapport aux idées qu'elles défendaient, qui n'ont jamais pu user de stratégies autres que de suggérer, car elles n'avaient que fort peu de pouvoir réel (qu'il soit formel ou informel). Il ne s'agit pas ici d'un reproche à leur endroit, mais bien d'une description de leur véritable situation et des limites que ces personnes rencontrent dans leur action.

Insistons sur le fait que ce tableau n'indique pas la stratégie que l'agent devra nécessairement utiliser. Le tableau ne fait que préciser la stratégie la plus contraignante qu'il peut utiliser, étant donné les ressources qu'il détient, mais il pourrait très bien arriver que, pour diverses raisons, il choisisse une stratégie autre que celle suggérée[4].

Il convient ici de reprendre chacune des sept stratégies pour clarifier la façon dont le pouvoir de l'agent varie de l'une à l'autre.

9.5.1. L'imposition

Dans le cas où l'imposition serait possible, cela signifierait que l'agent dispose de ressources très valorisées par les destinataires. Ces ressources sont à ce point valorisées que les destinataires ont le sentiment que, pour leur part, ils n'ont que peu de ressources par rapport à l'agent. Le plus souvent, il s'agira du contrôle légitime des moyens de sanction et de récompense dans le système, qui a pour effet de placer l'agent dans une position de quasi-autorité. S'il ne dispose pas de ce contrôle légitime, il peut faire

4. Dans l'ouvrage de P. Collerette et R. Schneider, *Le pilotage du changement*, module 9, on trouvera une analyse plus détaillée des différentes positions relatives au pouvoir détenu par un agent ou un gestionnaire.

appel à l'autorité du gestionnaire qui a demandé l'intervention. Dans le cas de groupes autonomes, l'agent pourrait aller jusqu'à l'usage de la force nécessaire, qu'il se serait appropriée de façon illégitime, contre le gré des membres du système.

9.5.2. La pression

Dans la pression, l'agent n'impose pas formellement son point de vue, mais il tente en fait de l'imposer informellement, en démontrant aux destinataires qu'ils auraient tout avantage à accepter ses objectifs de changement. Or cette approche sera efficace dans la mesure où l'agent détiendra des ressources qui, sans lui donner un contrôle absolu de la situation, feront craindre aux destinataires des conséquences désagréables s'ils ne cèdent pas à ses arguments ou leur feront entrevoir la possibilité de gains ou de récompenses.

Ainsi, sans avoir le pouvoir d'imposer ses objectifs, l'agent en a tout de même suffisamment pour croire que les destinataires préféreront adopter son point de vue, soit pour éviter de s'exposer à d'éventuels désagréments, soit parce qu'ils accordent de la crédibilité à ses arguments.

C'est ce genre de raisonnement que font les divers groupes qui exercent des pressions auprès des différents ordres de gouvernement pour promouvoir des changements dans le sens de leurs intérêts.

Ce type de stratégie est aussi utilisé par des personnes en position d'autorité qui, plutôt que d'imposer, choisissent, du moins dans un premier temps, de faire pression afin de paraître moins autoritaires. On aura cependant compris que les gens ne sont pas toujours dupes et que sous les apparences de la pression, ils verront quand même le spectre de l'imposition. D'où probablement des expressions comme : « le patron suggère fortement que... »

9.5.3. La consultation

Dans la consultation, même si l'agent a plus de ressources valorisées que les destinataires, il n'en détient cependant pas assez pour imposer son point de vue. En fait, les destinataires ont déjà une quantité et une qualité de ressources valorisées suffisantes pour que l'agent se sente obligé de prêter un oreille attentive à leurs opinions, sans quoi il s'exposerait à être l'objet de nombreuses et persistantes pressions de leur part. À la limite, comme il dispose de plus de pouvoir que les destinataires, il pourrait tenter d'exercer des pressions sur eux. Cette façon de faire susciterait certainement de fréquentes contestations.

9.5.4. La cogestion

Alors que, dans les stratégies précédentes, l'agent détenait plus de pouvoir que les destinataires, ici les deux parties en ont autant. Elles sont donc en équilibre. Si l'agent peut s'appuyer sur les ressources valorisées dont il dispose pour faire valoir ses idées, les destinataires peuvent en faire autant, et par conséquent ils peuvent faire contrepoids à son influence. L'agent doit donc transiger avec eux dans la perspective où il a absolument besoin de leur soutien ou de leur autorisation pour atteindre ses objectifs, sans quoi il peut être réduit à l'impuissance. Ainsi, les deux parties détenant autant de ressources valorisées l'une que l'autre, elles doivent partager les décisions quant à l'opportunité du changement et à ses objectifs.

9.5.5. L'incitation

À partir du moment où l'agent a moins de pouvoir que les destinataires, il n'est plus en mesure de prendre des décisions qui seraient de nature à les contraindre, c'est-à-dire d'exercer une influence déterminante sur le changement. Cependant, s'il détient une quantité appréciable de ressources valorisées, sans toutefois en avoir assez pour rétablir l'équilibre du pouvoir en sa faveur, il peut tout de même exercer de petites pressions sur les destinataires avec l'espoir que celles-ci influenceront significativement leurs décisions quant au changement proposé. En fait, il détient alors suffisamment de pouvoir pour que les destinataires se sentent enclins à prêter attention à ses demandes de changement, et, de proche en proche, il peut espérer que ses incitations amèneront éventuellement les destinataires à opter pour ses propositions de changement. C'est habituellement ce genre de scénario qu'on utilise dans le *lobbying* politique et administratif.

9.5.6. Les suggestions

Cette stratégie se présente de la même manière que l'incitation, avec cependant moins de poids. En effet, l'agent dispose de beaucoup moins de ressources valorisées que les destinataires, et ceux-ci se sentent peu contraints à lui prêter attention. Il en détient quand même assez pour que ces derniers ne puissent pas le négliger complètement, et à ce compte, on peut dire qu'il peut au moins faire des propositions de changement. Cependant, son pouvoir n'est pas assez grand pour qu'il puisse exercer des pressions qui seraient déterminantes ; ses ressources ne sont pas suffisamment valorisées pour qu'il puisse y arriver.

9.5.7. L'habilitation

Ici, l'agent laisse la prise de décision aux destinataires. Il retient son influence en quelque sorte. Ainsi, il n'exerce plus aucun pouvoir sur le contenu du changement. Toutefois, si l'agent veut néanmoins participer au changement, il peut le faire en fournissant aux destinataires un soutien au cours du processus, dans la mesure évidemment où ceux-ci seront engagés dans une démarche de changement. S'ils sont engagés dans une telle démarche, le soutien que l'agent pourra apporter au cours du processus prendra entre autres la forme d'une aide pour prendre des décisions éclairées, en utilisant notamment des outils empruntés à l'animation de groupe et des théories sur le changement. En ce sens, il aide les destinataires à prendre des mesures qui les rapprocheront de leurs objectifs.

Si ce type d'action ne lui permet pas d'avoir prise sur le contenu et les orientations du changement, il lui permet tout au moins d'augmenter les chances que le changement soit bien implanté. On aura compris cependant que l'agent pourrait éprouver un profond malaise s'il devait utiliser cette approche avec des personnes qui poursuivraient des objectifs de changement opposés aux siens !

Ajoutons que cette stratégie peut devenir pour l'agent un levier pour augmenter son pouvoir auprès des destinataires. En effet, si ces derniers commencent à apprécier le type de soutien qu'il apporte, cette ressource qu'il a (la capacité de les aider dans le processus) peut devenir de plus en plus valorisée, et finalement se traduire par une influence plus grande qui pourra être utilisée pour orienter le changement.

9.6. Le comportement de l'agent et des destinataires dans chacune des sept stratégies

À partir de ce qui précède, nous allons maintenant explorer ce qui caractérise le comportement de l'agent et celui des destinataires dans l'utilisation des sept stratégies (figure 9.3).

FIGURE 9.3

Le comportement de l'agent et des destinataires dans chacune des sept stratégies

Stratégie	Agent de changement	Destinataires
Imposition	Il décide à la fois des objectifs, des moyens et du scénario d'implantation. Il informe les destinataires des décisions qu'il a prises, en les justifiant le plus souvent.	Ils sont contraints de se conformer à ces décisions, donc de se plier aux changements, à moins qu'ils ne puissent se dérober.
Pression	Il décide à la fois des objectifs, des moyens et du scénario d'implantation ; par la suite, il tente de convaincre les destinataires d'adhérer volontairement au projet. En cas d'échec, selon son pouvoir réel et ses dispositions, il pourra soit s'exposer à l'influence des destinataires ou recourir à l'imposition.	Ils se font présenter un projet avec une invitation, plus ou moins subtile, d'y adhérer. Dans cette invitation, les destinataires voient relativement peu de place pour exercer de l'influence et se sentent contraints à répondre par oui ou non.
Consultation	Il se garde le pouvoir de décision finale. Toutefois, il fournit aux destinataires l'occasion d'influencer cette décision en les invitant à formuler des suggestions, des avis, des réactions à un projet. Il ne s'engage pas à se conformer à ces opinions.	Ils sont invités à exercer de l'influence sur une ou plusieurs décisions éventuelles. Ils n'ont cependant pas de contrôle sur cette influence, car ils ne participent pas à la décision finale. Ils n'ont donc aucune assurance qu'on tiendra compte de leur avis.
Cogestion	Il doit partager son pouvoir, de sorte que les destinataires disposent d'autant de pouvoir que lui pour décider des objectifs et des moyens de changement. Cela suppose donc qu'il n'y aura décision que lorsque les deux partenaires se seront entendus.	Ils partagent avec l'agent le pouvoir de décider des objectifs et des moyens du changement. D'une certaine façon, ils détiennent un droit de veto, car s'ils ne sont pas d'accord avec l'agent, ils peuvent neutraliser le processus de changement.

FIGURE 9.3
Le comportement de l'agent et des destinataires dans chacune des sept stratégies *(suite)*

Stratégie	Agent de changement	Destinataires
Incitation	Il n'a pas la capacité formelle d'orienter le choix des objectifs et des moyens du changement. Il a cependant assez d'influence informelle pour inviter fortement les destinataires à accepter l'orientation qu'il privilégie.	Ils ont la capacité de décider des objectifs et moyens du changement, mais ils reçoivent les suggestions de l'agent comme des invitations à se conformer, en partie du moins, à son point de vue. Ils en concluent que leur pouvoir n'est pas absolu et ressentent un malaise à ne pas tenir compte des indications de l'agent.
Suggestion	Disposant de peu de pouvoir quant aux objectifs et aux moyens du changement, il se contente de faire des suggestions en espérant qu'elles influencent les destinataires dans leurs décisions.	Ils disposent de beaucoup de latitude sur le choix des objectifs et des moyens de changement, et par conséquent reçoivent les informations de l'agent comme étant des données parmi d'autres, qu'ils pourront considérer dans le processus de décision.
Habilitation	L'agent ne dispose d'à peu près aucun pouvoir quant aux objectifs et aux moyens du changement (volontairement ou involontairement). Toutefois, il détient des ressources qu'il peut mettre au service des destinataires pour les aider à cheminer vers des décisions satisfaisantes pour eux. Il intervient donc dans le processus de prise de décision et non au plan du contenu des décisions.	Ils disposent d'un pouvoir quasi absolu sur les objectifs et moyens du changement. Ils ont recours aux services de l'agent pour les aider à suivre une démarche éclairée, systématique, pour décider des différents aspects du changement et pour l'implanter. Ils sont donc maîtres du contenu, mais s'exposent à l'influence de l'agent quant aux façons de traiter le contenu.

9.7. Autres critères pour choisir une stratégie

Comme nous l'avons mentionné précédemment, le pouvoir que détient l'agent ne peut pas être le seul critère pour déterminer la ou les stratégies qu'il adoptera, car d'autres facteurs que le pouvoir agissent également sur la situation.

Parmi les critères qui pourraient inciter l'agent à choisir une stratégie différente de celle suggérée par les coordonnées du tableau, nous en retiendrons quatre : le confort de l'agent à l'égard de l'une ou l'autre des stratégies, le degré de convergence entre les objectifs de l'agent et ceux des destinataires, les réactions prévues des destinataires ainsi que les pressions externes que sentent les membres du système pour les amener à changer[5].

9.7.1. Le confort de l'agent à l'égard de l'une ou l'autre des stratégies

Il pourrait arriver que l'agent éprouve un certain malaise à utiliser la stratégie suggérée dans le tableau par sa position. Ce malaise peut tenir au fait que le type de stratégie en question est incompatible avec ses valeurs, ou encore qu'il se sent malhabile à l'utiliser. Quelqu'un qui, par exemple, adhère à des valeurs très égalitaristes peut vivre de la dissonance en utilisant l'approche de l'imposition. À l'inverse, quelqu'un qui a des valeurs autoritaires peut éprouver beaucoup de difficulté à s'engager dans un processus de cogestion. De telles réactions peuvent amener l'agent à opter pour un type de stratégie avec lequel il se sentira plus en harmonie, ou encore, à la limite, il pourra décider de ne pas agir s'il ne lui est pas possible de recourir à une stratégie avec laquelle il est à l'aise.

Selon leur rapport de force avec les destinataires, on a aussi vu des agents qui systématiquement font appel au même type de stratégie. On peut présumer que ces personnes sont particulièrement à l'aise avec cette stratégie et qu'elles l'ont assimilée jusqu'à un état de réflexe. Cette prédisposition peut être nuisible à l'agent, car il néglige alors les facteurs de l'environnement dans le choix de la stratégie et il peut devenir très dysfonctionnel. Ce serait le cas par exemple de quelqu'un qui systématiquement privilégierait la contestation et qui l'utiliserait même dans un contexte de collaboration ouverte et de bonne foi.

9.7.2. Le degré de convergence des objectifs de l'agent et ceux des destinataires[6]

On peut présumer que, plus les objectifs de l'agent sont divergents de ceux des destinataires, plus l'agent sera réfractaire à partager son pouvoir, et plus il cherchera à se rapprocher de l'imposition. À l'inverse, plus ses objectifs

5. P. COLLERETTE et R. SCHNEIDER, *Le pilotage du changement*, PUQ, Québec, 1996.
6. Les concepts de *convergence* et de *divergence* ont été proposés par Roger Tessier dans *Changement planifié et développement des organisations*, R. Tessier et Y. Tellier, Montréal, EPI-IFG, 1993.

convergent avec ceux des destinataires, plus il sera disposé à partager son pouvoir et, par conséquent, plus il tendra vers les stratégies conciliantes.

En somme, l'utilisation que l'agent fait de son pouvoir dans le choix d'une stratégie peut être fortement conditionnée par le degré de convergence ou de divergence entre ses objectifs et ceux des destinataires. Quand l'agent dispose de peu de ressources valorisées et que ses objectifs sont divergents de ceux des destinataires, il se voit parfois limité à deux choix: abandonner ses ambitions de changement, du moins provisoirement, ou, dans un premier temps, acquérir davantage de ressources valorisées pour éventuellement disposer de plus de pouvoir aux yeux des destinataires. À l'inverse, plus les objectifs de l'agent convergent avec ceux des destinataires, moins il sentira le besoin de disposer de beaucoup de pouvoir (dans les approches consensuelles, par exemple).

D'une certaine façon, on peut probablement formuler la proposition suivante: la quantité de pouvoir nécessaire à l'agent pour influencer efficacement la conduite des destinataires est inversement proportionnelle au degré de convergence de leurs objectifs respectifs.

9.7.3. Les réactions prévues des destinataires

On peut facilement imaginer une situation où les coordonnées du tableau suggèrent une stratégie donnée à l'agent, mais où il est préférable que celui-ci opte pour une autre, à cause des réactions que l'on peut prévoir chez les destinataires face à la stratégie suggérée. Prenons l'exemple du directeur général d'une organisation, donc quelqu'un qui a en théorie beaucoup de pouvoir, qui voudrait introduire un changement dans un département dont le personnel, en plus d'une forte scolarisation, aurait une grande estime de ses compétences. Bien que ce directeur général soit probablement dans une bonne position pour imposer le changement, il pourrait trouver plus opportun d'utiliser une stratégie plutôt conciliante, craignant des réactions explosives, qui de toute façon mineraient les chances de succès du changement.

Ainsi, avant de s'engager dans une stratégie donnée, l'agent a-t-il avantage à l'évaluer à la lumière des réactions qu'il peut prévoir chez les destinataires, entre autres en s'interrogeant sur les contrecoups qu'il est prêt à absorber.

9.7.4. Les pressions externes

Il ne faut pas sous-estimer l'impact que peuvent avoir les pressions externes sur la nécessité d'un changement. Si les pressions sont telles qu'elles menacent la survie de l'organisation, on peut concevoir que les destinataires du changement seront très ouverts à toute proposition qui permettra de diminuer la menace extérieure. L'agent de changement n'aura donc pas à utiliser des stratégies allant dans le sens de l'imposition.

À l'inverse, sans pressions externes, on peut s'attendre à devoir utiliser des méthodes contraignantes.

9.8. Le choix de la stratégie

À partir des considérations qui précèdent, on peut poser que le pouvoir que détient l'agent sera déterminant dans le choix de la stratégie d'action, car c'est ce pouvoir qui fixera en grande partie les limites de sa marge de manœuvre. Toutefois, ce facteur à lui seul peut ne pas être suffisant pour choisir une stratégie appropriée. Il doit, la plupart du temps, être mis en relation avec les quatre autres facteurs, pour permettre de faire un choix éclairé. C'est ce que montre la figure 9.4.

FIGURE 9.4
Schéma-synthèse sur le choix d'une stratégie

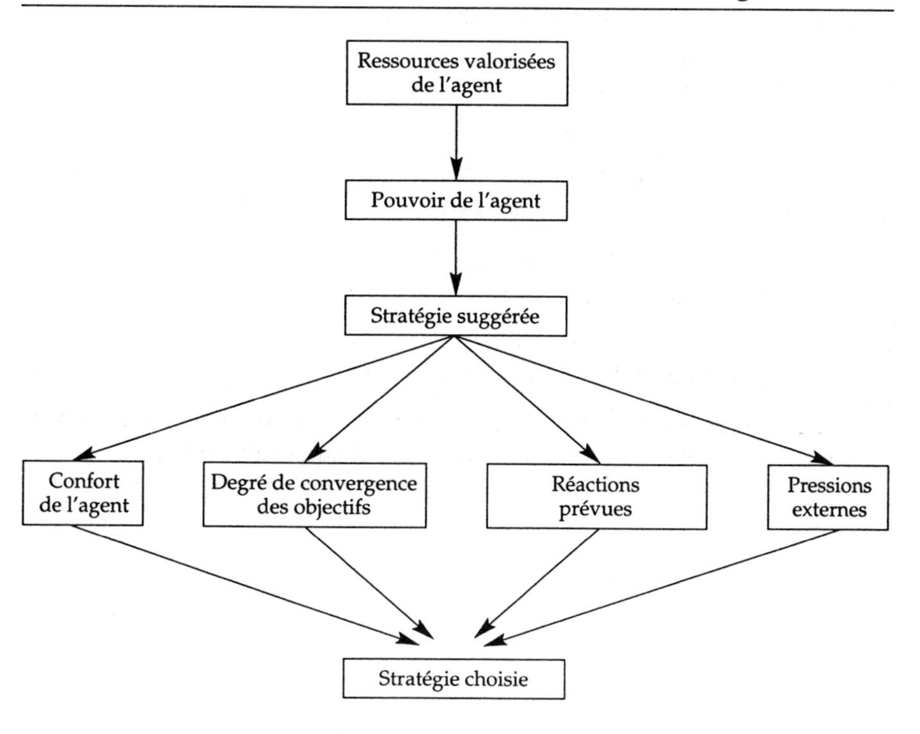

9.9. L'élaboration d'une stratégie

Quand l'agent a décidé de la coloration particulière de sa stratégie, il lui restera à l'opérationnaliser, c'est-à-dire à trouver des moyens, activités, tactiques qu'il utilisera dans l'action. Il va de soi que, dans cette opération, il devra s'efforcer de choisir des moyens qui refléteront l'esprit de sa stratégie.

Pour y arriver, il peut procéder en deux temps : dans un premier temps, il peut faire un inventaire exhaustif de tous les moyens, activités, tactiques qui seraient imaginables ; dans un deuxième temps, il lui faut procéder à une sélection, en ne retenant que ceux qui ont des chances d'être efficaces et qui correspondent à la stratégie choisie.

Il serait évidemment trop long de relever ici toute la gamme des moyens qui peuvent être imaginés pour alimenter une stratégie. Qu'il suffise d'en mentionner quelques-uns parmi les plus fréquemment utilisés :

- les programmes de formation
- la reformulation des politiques
- la diffusion d'information
- la transformation d'une structure
- la manifestation
- le harcèlement
- les comités de réflexion
- les documents de travail
- les rencontres de consultation
- les mécanismes de concertation
- l'adoption de lois ou de règlements
- les projets-pilote
- les séances de solution de problèmes en groupe.

L'expérience de l'agent et une bonne dose de créativité sont les principales sources où puiser les moyens pour articuler une stratégie.

Questions-guides

1. *Quelles ressources le système visé valorise-t-il ?*
   - *Quelles sont les caractéristiques de sa culture ?*
   - *Quels sont ses besoins particuliers ?*

2. *Parmi ces ressources valorisées, y en a-t-il que l'agent a ?*
   - *Si oui, en quelle quantité ? (peu à beaucoup)*
   - *Sinon, peut-il en acquérir ?*

3. *Les ressources valorisées que détient l'agent sont-elles connues des destinataires ?*

4. *Où l'agent se situe-t-il sur la diagonale de la figure 9.2, considérant le pouvoir qu'il a par rapport aux destinataires ?*

5. *Dans quelle mesure l'agent se sent-il à l'aise avec le type de stratégie que lui suggère sa position dans le tableau ?*
   - *S'il y a inconfort, quelle en est la source ?*

6. *Dans quelle mesure les objectifs de l'agent convergent-ils ou divergent-ils de ceux des destinataires ?*
   - *Par conséquent, l'agent doit-il songer à s'associer aux destinataires ou doit-il songer à les contraindre ?*

7. *À partir de la stratégie suggérée dans le tableau de la figure 9.2, quelle réaction peut-on prévoir chez les destinataires ?*
   - *Compte tenu de cette réaction prévue, y a-t-il lieu d'envisager une autre stratégie ? Laquelle ?*

8. *Dans quelle mesure les pressions externes menacent-elles l'équilibre ou même la survie de l'organisation ?*

9. *À la lumière de l'analyse qui résulte des questions 4, 5, 6, 7 et 8, quelle stratégie semble s'avérer la plus satisfaisante dans les circonstances ?*

10. *Quels moyens pourraient être utilisés pour matérialiser cette stratégie ?*

CHAPITRE 10

LES ACTEURS DANS L'ENTREPRISE DE CHANGEMENT

L'intervention de changement se présente souvent comme un scénario où, à l'avance, on cherche à confier des rôles aux différentes personnes qui seront engagées dans le processus du changement. Plus l'intervention est complexe, plus la notion de rôle prend de l'importance, car elle permettra alors de mieux appréhender le système qu'on veut faire changer.

Dans ce chapitre, nous examinerons d'abord les différents rôles qui peuvent être tenus dans un scénario de changement, pour ensuite présenter diverses approches utilisables dans l'exercice de ces rôles, et enfin explorer certaines particularités inhérentes à la position de l'agent de changement, à savoir, la position d'agent interne ou externe par rapport au système visé.

En s'inspirant de la taxonomie des entreprises de changement planifié de Roger Tessier[1], on peut diviser les rôles en deux grands sous-groupes :

---

1. R. TESSIER et Y. TELLIER, *Changement planifié et développement des organisations*, Montréal, Les Éditions de l'I.F.G., 1973, p. 20-32.

les agents et les destinataires. Sans reprendre la totalité du chapitre de Tessier sur le sujet, nous allons en présenter les principaux points.

10.1. Les agents du changement et les destinataires

Nous définirons les agents du changement comme étant ceux qui « agissent » consciemment sur l'environnement pour faciliter l'implantation du changement projeté. Ainsi, toute personne ou tout système qui contribue par une action directe ou indirecte à l'implantation du changement est un agent de changement.

Quant aux destinataires, nous les définirons comme étant les personnes ou systèmes visés, directement ou indirectement, par les différentes actions des agents, à un moment ou l'autre du processus de changement. Ce sont donc ces personnes qui devront faire des efforts pour s'adapter aux exigences du changement. Ce ne sont pas nécessairement elles toutefois qui vont bénéficier directement des résultats. Celles qui tireront profit du changement, on les appellera les bénéficiaires.

Selon la phase ou l'étape en cours, les agents pourront assumer l'un ou l'autre des rôles suivants :

- initiateur
- concepteur-planificateur
- exécutant
- évaluateur

Quant aux destinataires, ils assument l'un ou l'autre des rôles suivants :

- destinataires relais → collaborateurs / → commanditaires
- destinataires terminaux

Les différents rôles impliqués dans une stratégie de changement ne sont pas mutuellement exclusifs. Une même personne peut exercer plus d'un rôle à l'intérieur d'un projet donné. Par exemple, on peut imaginer qu'une équipe d'enseignants veuille changer le climat qui règne dans l'équipe et qu'à cet égard, elle entreprenne une action particulière ; ainsi, l'équipe aura agi à la fois comme initiateur, exécutant et destinataire/ bénéficiaire.

En somme, la notion d'acteur, agent ou destinataire, permet de mieux préparer et de visualiser l'orchestration de la stratégie de changement.

Ajoutons que le choix des acteurs résulte habituellement d'un choix stratégique. Pour que les différents rôles à l'intérieur de la stratégie produisent l'effet escompté, il faut que les personnes ou systèmes auxquels ils sont confiés soient choisis en fonction de l'impact réel qu'ils produisent, d'où le caractère stratégique.

10.2. Les rôles exercés par les agents/gestionnaires

Les initiateurs

On appelle *initiateurs* ceux qui expriment explicitement la nécessité que des actions soient entreprises pour introduire un changement et qui tentent d'éveiller l'environnement à l'utilité de ce changement.

Exemple : un groupe féministe qui insiste auprès du gouvernement pour qu'il adopte une loi interdisant la discrimination envers les femmes dans l'embauche dans la fonction publique.

Les concepteurs et planificateurs

Ce sont ceux qui travaillent à concevoir et à articuler les différentes composantes de l'entreprise de changement dans un plan d'action et qui conçoivent les outils qui seront utilisés.

Exemple : un comité du ministère du Travail et de l'Emploi mis en place pour élaborer un plan d'action visant à rendre le marché du travail plus accessible aux femmes.

Les exécutants

Ce sont évidemment les personnes qui, sur le plan pratique, devront mettre en œuvre les détails du plan d'action élaboré. En somme, ce sont celles qui « agiront » sur l'environnement pour l'amener à changer.

Exemple : les directeurs régionaux de différents services gouvernementaux à qui on a demandé de promouvoir certaines mesures auprès des employeurs pour rendre le marché du travail plus accessible aux femmes.

Les évaluateurs

Ce sont ceux qui ont reçu le mandat ou qui prendront l'initiative d'évaluer dans quelle mesure le changement a été implanté, s'il a atteint ses objectifs, si la situation a été améliorée.

Exemple : un comité de gestion fait circuler un sondage auprès du personnel pour déterminer si le climat de travail s'est amélioré.

10.3. Les destinataires du changement

10.3.1. Les destinataires terminaux

Les destinataires terminaux sont les acteurs que l'on veut toucher au terme de différentes actions de l'entreprise de changement. Ce sont les acteurs qui sont principalement et ultimement visés par l'entreprise de changement. On les classe comme destinataires terminaux, car on prévoit que pour avoir une influence déterminante sur eux, on aura besoin d'agir au préalable ou simultanément sur des acteurs intermédiaires. Il est évident que dans un contexte où l'on peut agir directement auprès des acteurs qu'on veut faire changer, il est inutile de recourir aux catégories de « terminal » et « relais ». Toutefois, dans les projets d'une certaine complexité, ces catégories pourront aider à orchestrer la séquence des actions, sans perdre de vue l'objet du changement.

Exemple : dans un service gouvernemental où on initie des superviseurs (destinataires relais) à la nécessité d'un bon service à la clientèle afin qu'à leur tour ils influencent leurs agents pour qu'ils offrent un service plus courtois au client, ces agents seraient les destinataires terminaux.

10.3.2. Les destinataires relais

Ce sont des acteurs à qui l'agent de changement s'adresse en espérant qu'ils agissent à titre d'intermédiaires, directement ou indirectement, auprès des destinataires terminaux, de façon à influencer ces derniers en faveur du changement souhaité. Il faut noter que les relais peuvent être mis à contribution aux différentes phases de l'intervention, tout comme les terminaux d'ailleurs.

Étant donné que les systèmes sociaux sont souvent caractérisés par un tissu complexe de relations et d'interdépendance, il sera habituellement utile, sinon indispensable, de recourir à des destinataires relais, surtout à la lumière de ce qui a déjà été dit à propos du modèle systémique et du changement d'attitudes.

Les collaborateurs

Ce sont des personnes à qui on a demandé, à titre de partenaires, de s'associer à l'entreprise de changement pour intervenir auprès de personnes ou groupes qui leur sont accessibles, de façon à promouvoir le changement projeté. Souvent, on aura préparé ces acteurs en conséquence (formation, présentation, documentation, etc.). Ainsi, lorsque l'on a obtenu la contribution des collaborateurs, ils deviennent d'une certaine manière, des agents de changement.

Exemple : dans l'intervention où l'on veut modifier l'attitude des agents à l'endroit de la clientèle, les superviseurs constituent des destinataires collaborateurs.

Les commanditaires

Ce sont des personnes à qui l'agent s'adresse en vue d'obtenir leur appui moral ou matériel, de façon à pouvoir mettre en valeur cet appui dans la promotion du changement. Les types d'appuis recherchés peuvent varier selon les circonstances et les personnes ou systèmes en cause : obtenir une autorisation, bénéficier d'un surcroît de prestige, profiter d'une caution morale, obtenir une délégation d'autorité, bénéficier d'une aide financière ou matérielle, etc. En somme, on demande au commanditaire de se porter garant de l'initiative ou d'y associer son nom, son image ou ses ressources, en espérant que cette commandite donne de la crédibilité ou des moyens à l'entreprise de changement et en augmente ainsi les chances de succès. Quand, dans une entreprise de changement, on tente d'associer les leaders naturels aux objectifs visés, on tente alors d'en faire des commanditaires.

10.4. Les types d'agents de changement

Pour exercer son rôle, l'agent de changement peut choisir entre différents modèles. Ces modèles peuvent être définis entre autres en fonction du degré d'influence que l'agent veut se donner d'une part et veut laisser aux destinataires d'autre part quant à l'issue du changement et aux moyens de le mettre en œuvre. Sur cette base, les approches sont souvent polarisées entre deux tendances, qu'on pourrait appeler celle de l'animateur et celle du militant.

Un long débat oppose ceux qui privilégient le modèle de l'animateur et ceux qui privilégient le modèle du militant. Les premiers prétendent « faciliter » l'introduction du changement, notamment en aidant à explorer le processus humain vécu au cours de l'expérience et en permettant une participation maximale des destinataires à tous les niveaux. Par ailleurs, on leur reproche de ne pouvoir fonctionner que dans des contextes où des consensus sont possibles, alors que la réalité est souvent toute autre.

Les seconds, pour leur part, prétendent être les porteurs d'idées et d'initiatives qui sans eux ne pourraient être véhiculées. Ils tentent d'amener les autres à adhérer à leurs idées et les encouragent à se joindre à leur action. Par ailleurs, on leur reproche de faire la promotion d'idées en négligeant la possibilité pour les personnes visées de se les approprier.

10.4.1. Le modèle de l'animateur

Au sens strict, on peut définir le modèle de l'animateur comme étant celui qui facilite l'émergence d'un processus ouvert, où les différentes parties (agents et destinataires) s'expriment et en arrivent à une décision consensuelle, sinon largement majoritaire, sur l'opportunité, les objectifs et les moyens du changement. L'animateur aide les différentes parties à cheminer vers une décision éclairée et partagée. Ainsi, l'animateur met ses ressources personnelles de facilitateur au service des gens directement concernés par le changement, pour qu'eux-mêmes déterminent la nature du changement, le planifient, le mettent en œuvre et l'évaluent. Il s'abstient donc d'exercer de l'influence sur le contenu du changement, et laisse toute la place aux acteurs directement concernés. Sa part d'influence porte davantage sur les moyens et approches à adopter pour permettre aux autres d'explorer de façon ouverte et éclairée l'objet du changement.

À cause de la nature de cette approche, on devine qu'en règle générale, l'animateur n'a pas été l'initiateur du changement, de sorte que d'autres auront déjà pris un certain nombre de mesures pour promouvoir le changement. En effet, rares sont les situations où l'on ne trouve pas une personne ou un sous-groupe qui ait une influence plus déterminante sur le changement. En fait, qu'il s'agisse de quelqu'un de l'intérieur ou de l'extérieur du système, l'animateur est le plus souvent un acteur à qui on a demandé de l'aide, ce qui montre bien qu'il n'agit pas comme initiateur.

Étant donné ces caractéristiques, l'agent qui privilégie le modèle de l'animateur peut le faire dans les situations où les gens veulent et peuvent procéder de façon consensuelle. Dans les cas où cela n'est pas possible, ce modèle risque d'être inefficace, voire même nuisible à ceux qui militent en faveur d'un changement, car il pourrait mettre au jour des résistances qu'on aurait préféré ne pas réveiller.

Dans la pratique, on a parfois vu des tenants du modèle militant s'afficher stratégiquement comme partisans du modèle de l'animateur, car cette approche peu menaçante permettra de promouvoir subtilement des objectifs personnels de changement, à l'insu des autres.

10.4.2. Le modèle du militant

Le dictionnaire *Larousse* définit le militant comme étant celui « qui lutte, qui combat pour le triomphe d'une idée, d'un parti ». Ainsi le modèle du militant se caractérise par une identification explicite de l'agent avec les objectifs et les moyens du changement et par des actions de l'agent pour faire accepter le changement par les destinataires et réussir son implantation. Le militant choisit d'exercer son influence auprès des destinataires pour en arriver à implanter le changement tel qu'il l'a conçu. Dans une telle approche, la part d'influence laissée aux destinataires est minime, du moins au plan de l'opportunité et des objectifs du changement. En fait, son dessein est d'amener les destinataires à partager, sinon à tolérer, sa vision de « ce qui est souhaitable ». Parmi les conditions pour que ce modèle d'agent puisse être efficace, mentionnons la nécessité que l'agent puisse de fait avoir un niveau de crédibilité élevé, sans quoi il réussira difficilement à faire la promotion de ses idées.

Ainsi, on est en droit de dire que si l'agent/animateur s'intéresse davantage aux processus vécus dans le changement, l'agent/militant, lui, s'intéresse surtout au contenu du changement.

10.4.3. Entre le militant et l'animateur

Jusqu'ici, nous avons défini les modèles du militant et de l'animateur comme des modèles absolus et mutuellement exclusifs. Toutefois, la réalité oblige souvent à opter pour des modèles intermédiaires qui empruntent à l'un et à l'autre, avec une tendance dominante soit d'un côté, soit de l'autre. En effet, si en règle générale le choix d'un modèle donné dépend des valeurs et de l'idéologie de l'agent, ce choix peut aussi être conditionné par les caractéristiques de la situation et le moment de l'intervention, de sorte que l'agent doit souvent assouplir ses choix spontanés.

En fait, l'un et l'autre modèle se situent aux deux extrêmes d'un continuum d'influence où, d'une part, toute l'influence sur l'orientation du changement est aux mains des destinataires et, d'autre part, toute l'influence sur l'orientation du changement est aux mains de l'agent. Toutefois, entre ces deux extrêmes, on peut trouver toute une gamme de combinaisons possibles, qu'on peut illustrer ainsi :

FIGURE 10.1
Le continuum du militant à l'animateur

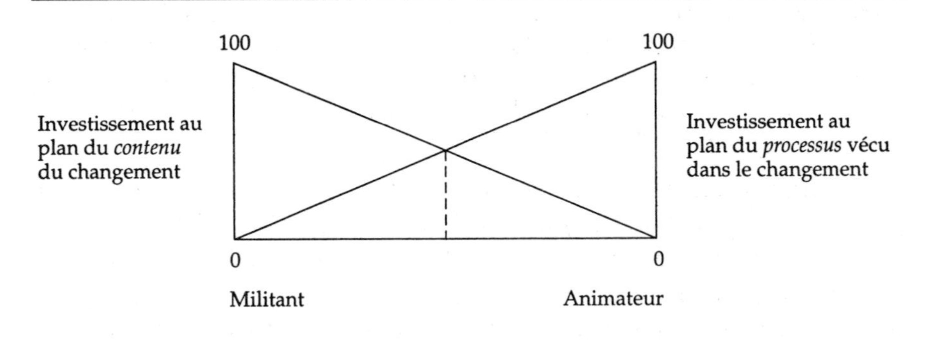

Rappelons que si, dans la réalité, on trouve rarement l'un ou l'autre de ces modèles à l'état pur, ceux-ci témoignent néanmoins de deux tendances réelles et fort différentes, qui finalement correspondent à des choix stratégiques différents.

10.5. La position de l'agent de changement : consultant interne, consultant externe

Nous avons vu que l'agent de changement peut exercer plusieurs rôles à l'intérieur de l'entreprise de changement organisationnel. Nous avons vu également que l'agent de changement peut emprunter différents modèles en ce qui concerne l'influence qu'il se donne et qu'il donne aux différents acteurs dans la stratégie du changement. Nous verrons maintenant que l'agent de changement, que ce soit à titre d'initiateur, de concepteur, d'exécutant ou d'évaluateur, peut se situer soit à l'intérieur, soit à l'extérieur du système sur lequel il agit. Dans le premier cas, on parlera d'agent interne, dans le second, on parlera d'agent externe. Précisons que dans la littérature et la pratique du changement organisationnel, l'agent externe prend habituellement la figure d'un expert que les initiateurs sollicitent pour venir aider le système à mieux diagnostiquer, planifier, exécuter ou évaluer son entreprise de changement. L'agent interne quant à lui est quelqu'un qui fait partie intégrante du système et à qui on a confié, en tout ou en partie, le mandat (parfois caché) d'amener le système à changer.

L'une et l'autre position comportent des avantages et des inconvénients, que nous allons présenter brièvement.

De par sa position, l'agent interne a souvent plus de temps à consacrer à l'entreprise que l'agent externe. Comme il vit avec et dans le système, l'agent interne peut être partie prenante aux problèmes du système, de sorte qu'il risque à son insu d'agir de façon à entretenir le problème. En d'autres termes, il est possible qu'il ne soit pas de son intérêt que certains problèmes se règlent ou que certaines situations soient modifiées, de sorte qu'inconsciemment il pourrait contribuer à ce que certaines expériences de changement n'atteignent pas leur but. Il risque de se trouver parfois dans la position où, en faisant changer le système, il s'oblige en même temps à changer.

L'agent externe, pour sa part, n'a habituellement que peu d'intérêts à préserver dans une situation problématique, sinon sa réputation, encore que celle-ci soit fondée sur sa capacité à aider à l'implantation du changement.

Comme il ne fait pas partie de la structure hiérarchique du système et qu'il n'y est pas soumis, l'agent externe peut plus facilement avoir accès au sommet de la hiérarchie du pouvoir. Toutefois, son intégrité professionnelle et intellectuelle ne pourra être sauvegardée qu'à la condition qu'il se trouve dans un état d'indépendance financière et sociale relative, sans quoi il peut devenir totalement dépendant de ceux qui agissent comme pourvoyeurs, et ainsi perdre la perspective qui lui est nécessaire.

Habituellement, l'agent interne dispose de plus d'information sur la problématique que l'agent externe et il a d'ailleurs plus facilement accès à la structure informelle du système. Cet avantage est toutefois limité par des distorsions perceptuelles alimentées par ses alliances, ses intérêts propres, ses expériences antérieures dans le système. S'il est limité quant à la quantité d'information et de ses sources, l'agent externe est mieux placé pour acquérir une vision plus objective de la problématique. Il risque tout de même de véhiculer certaines distorsions perceptuelles. Par exemple, on voit des agents externes définir les situations problématiques non pas dans les termes dans lesquels elles se posent, mais en fonction de leur domaine de compétence ou en fonction du genre de problèmes qu'ils sont capables de traiter.

Assez souvent, l'agent externe a une formation spécialisée (c'est la raison pour laquelle on fait appel à lui) dont il tire un prestige significatif. Comme on l'utilise habituellement pour de courtes durées et sur des sujets dans lesquels il est spécialisé, il peut plus facilement camoufler ses faiblesses et ainsi maintenir son prestige. L'agent interne, pour sa part, doit vivre avec les forces et les faiblesses de son image, qu'une expérience plus longue a souvent éprouvée et parfois figée, d'où un prestige moins grand et une influence en conséquence.

Étant moins en contact avec le vécu quotidien du système, l'agent externe risque d'être moins soucieux de ses seuils de tolérance et de son degré de vulnérabilité, alors que l'agent interne a des chances d'être plus attentif aux effets secondaires et aux seuils de tolérance du système, parce qu'il y vit et continuera d'y vivre. Dans le même esprit, il faut noter que généralement l'agent externe étant utilisé pour une courte durée, il n'aura pas à vivre avec les conséquences du changement, contrairement à l'agent interne, de sorte que ce dernier risque d'être moins audacieux.

De ces différentes considérations, il est évident qu'on ne saurait affirmer qu'une position est préférable à l'autre. Chacune comporte des avantages et des limites. L'important consiste probablement à mettre à profit les avantages de chacune et à être attentif aux limites. L'idéal consiste probablement à jumeler l'agent interne et l'agent externe, lorsque c'est possible.

Questions-guides

1. *Quelles personnes exercent les différents rôles : initiateurs ? concepteurs-planificateurs ? exécutants ? évaluateurs ?*
2. *Les agents de changement sont-ils des agents internes ? externes ?*
3. *À quelle tendance s'identifient davantage les agents : à l'animateur ? au militant ?*
4. *Qui sont les destinataires terminaux ?*
5. *Doit-il y avoir des destinataires relais ? Si oui, lesquels ?*

CHAPITRE 11

LA GESTION DE LA TRANSITION[1]

Beaucoup de gens disent gérer des changements quand, en fait, ils se limitent à les décider ou à les préparer. La véritable « gestion » du changement commence après que les décisions ont été prises, c'est-à-dire au moment où on procède à leur mise en œuvre. Surviennent alors toutes sortes de réactions et de difficultés qui invitent le gestionnaire, ou l'agent de changement désigné, à fournir un encadrement particulier.

Le pilotage d'une organisation en mutation est une opération complexe, qui peut s'avérer très enrichissante si elle est bien maîtrisée, mais qui peut aussi se transformer en cauchemar si on laisse trop de place à l'improvisation.

Dans la démarche d'un changement, l'étape d'implantation correspond à la phase de transition, période pendant laquelle tous les acteurs touchés par le changement feront face à des situations nouvelles souvent

1. Ce chapitre est inspiré du chapitre 11 de l'ouvrage *Le pilotage du changement*.

chaotiques et stressantes. Le gestionnaire doit y apporter une attention spéciale. En fait, c'est l'étape la plus délicate pour la réussite du changement, et c'est malheureusement là que plusieurs gestionnaires s'arrêtent... Après avoir lancé une opération majeure à grand renfort de publicité, ils retournent trop souvent administrer les choses courantes envoyant ainsi un message très clair ; ils sont intéressés par ce changement, mais pas au point de s'éloigner trop longtemps de ce qui était leurs préoccupations quotidiennes. Il ne faudrait pas alors se surprendre si les destinataires, ayant compris le message, se désintéressaient eux-aussi du changement à peine amorcé !

La transition est habituellement la phase pendant laquelle les gestionnaires se sentent facilement dépourvus. Diverses raisons peuvent expliquer cela. L'une d'elles est sans doute que les gestionnaires n'ont pas développé d'habiletés particulières en gestion du changement. Pendant des années, ils ont vécu le phénomène du changement comme une modification nécessaire, mais ponctuelle dans les opérations régulières, en souhaitant chaque fois, que la vie « normale » reprenne rapidement son cours. Une deuxième raison tient à la nature et aussi à la rareté des outils mis à leur disposition pour gérer la transition. Il faut reconnaître que les étapes du diagnostic et de la planification étant naturellement plus analytique, les gestionnaires ont bénéficié d'un éventail d'outils développés sur une longue période. Mais, lorsqu'il s'agit de gérer des phases de transition de plus en plus fréquentes, ils sont littéralement plongés dans un vécu turbulent qui fait appel à des outils qui puisent davantage dans la psychologie et la sociologie des comportements humains. On trouve de plus en plus d'outils appropriés pour ce genre de situation, mais la plupart font appel au jugement discrétionnaire de l'utilisateur.

11.1. Qui doit gérer la transition ?

Normalement, tous les gestionnaires ayant un rôle à jouer dans la mise en œuvre devraient faire leur part dans la gestion de la transition. Ainsi, tous les gestionnaires de tous les niveaux de l'organisation, et parfois même de toutes les unités, devraient adopter une approche de gestion spéciale, tenant compte de la nouvelle réalité et surtout de l'effort demandé à plein de gens pour que de nouvelles façons de faire soient mises en place. Cependant, il faut que la conception de l'approche générale de gestion ainsi que sa révision périodique viennent du gestionnaire qui a piloté l'idée de changement. Il lui revient de maintenir l'impulsion nécessaire pour assurer la cohérence de l'ensemble. C'est une question de leadership !

11.2. Qui associer à la gestion du changement ?

Autant une approche directive ou participative peut se revéler efficace si elle est utilisée dans les circonstances pour lesquelles elle est appropriée, autant elle peut être inefficace et même dommageable si elle est utilisée dans des situations auxquelles elle n'est pas adaptée. C'est pourquoi les caractéristiques d'une situation, mises en lumière lors du diagnostic, seront de nouveau utilisées pour établir le degré de participation des personnes ou groupes qu'il serait utile d'associer à la gestion du changement. Les personnes peuvent être associées pour toute la durée de la transition, comme dans une « équipe de pilotage », ou pour des activités spécifiques occasionnelles.

Selon que le gestionnaire ne dispose pas de toutes les informations nécessaires ou que le changement envisagé peut avoir des incidences significatives sur la qualité des services ou que la collaboration de certains membres clés du personnel et de la clientèle soit un atout non négligeable, il serait alors indiqué d'associer des personnes et même des groupes à l'implantation du changement.

Quant à l'aspect de l'association officielle ou de la participation informelle, le choix est dicté par les circonstances et les besoins de la situation. De façon générale, on favorise une participation informelle pour les activités et discussions visant à enrichir la compréhension des *réactions* des destinataires ; on favorise une association officielle, pour les activités et discussions visant à accroître l'*implication* des acteurs.

11.3. La période de transition génératrice de turbulence

La phase de transition introduit inévitablement de la turbulence dans l'organisation. Nous l'avons déjà souligné au chapitre 2 lorsque nous avons décrit les périodes de désintégration et de reconstruction. Plus il s'agit d'un changement fondamental ou de grande envergure, plus le degré de turbulence sera élevé.

Selon l'approche utilisée par les gestionnaires, cette période de transition peut être source de chaos destructeur ou de désordre créateur. Cette expérience peut générer des moments très difficiles pour les membres de l'organisation, et spécialement pour les gestionnaires. Elle peut aussi se révéler une expérience très riche en créativité et en découverte de potentiel insoupçonné chez certains membres de l'organisation.

La transition soulève habituellement de la turbulence à trois niveaux, et chacun de ces niveaux devrait mobiliser l'attention des gestionnaires :

- les difficultés liées au processus vécu par les membres ;
- les difficultés liées au contenu du changement ;
- les réactions de l'entourage (clients, pairs, partenaires).

11.3.1. Les difficultés liées au processus vécu par les membres

Il est réaliste d'affirmer que la majorité des gens affectés par un changement connaîtront un certain degré de malaise ou même de déséquilibre. Ce déséquilibre n'est pas « anormal » ; il est prévisible et même utile pour signaler certains ajustements que l'on devra faire tout au long de la démarche. S'il est négligé par la gestion, il peut se transformer en résistances actives ou en forces d'inertie. Au contraire, s'il est bien utilisé, il peut donner naissance à des idées créatrices de solutions mieux adaptées au contexte et à plus de motivation.

Le déséquilibre associé à la transition se manifeste sous trois aspects qui ont déjà été mentionnés à la section 2.2.3 du chapitre 2, mais qu'il convient de rappeler :

- un degré de fatigue plus élevé ;
- un état de confusion inhabituel ;
- un sentiment d'incompétence plus ou moins prononcé.

En ce qui a trait à la fatigue, rappelons que l'être humain compte normalement sur des automatismes pour économiser son énergie. L'adoption de comportements nouveaux l'oblige à lutter contre ces automatismes et à mobiliser beaucoup d'attention et d'énergie pour exécuter des gestes non familiers, ce qui entraîne un surcroît de fatigue.

Quant à la confusion, rappelons que demander à des gens d'adopter de nouvelles façons de faire c'est leur demander en fait de « désapprendre » et de « réapprendre » dans une même séquence. Surgit alors fréquemment une impression désagréable *de ne plus savoir*... Cette expérience étant partagée par plusieurs personnes en même temps, on pourrait conclure trop rapidement qu'il y a confusion dans l'organisation.

Pour ce qui touche au sentiment d'incompétence, souvenons-nous de l'importance accordée à la performance dans la société actuelle. Encore beaucoup de gens puisent une grande partie de leur valorisation personnelle dans leurs compétences professionnelles. Demander à tous, anciens comme nouveaux, de faire les choses différemment, c'est ramener tout le monde au même commun dénominateur : l'inexpérience, ressentie comme de l'incompétence. C'est dire toutes les satisfactions qui venaient de la compétence acquise au fil des années qui seront remplacées par de multiples frustrations tout au long de la transition.

11.3.2. Les difficultés liées au contenu du changement

Il est illusoire de penser avoir trouvé la solution parfaite du premier coup. Il faut habituellement apporter des correctifs aux nouveaux modes de fonctionnement introduits. Des dysfonctions peuvent provenir soit d'erreurs de conception, soit de variantes imprévisibles au départ, mais qui demandent des ajustements immédiats. Des correctifs peuvent aussi être nécessaires pour mieux harmoniser les nouvelles pratiques avec le reste de l'organisation des services ou du cadre de travail.

Ces dysfonctions et ces limites qui apparaissent pendant l'implantation ne font qu'accentuer l'impression de confusion dans l'organisation dont nous venons de parler. Il faut les traiter avec diligence pour éviter qu'elles alimentent le scepticisme des opposants.

11.3.3. Les réactions de l'entourage (clients, pairs, partenaires)

Des changements qui modifient la nature des services ou les pratiques des acteurs de l'organisation produiront plus tard des effets sur les autres sous-systèmes que sont les clients, les fournisseurs, les collaborateurs, sans parler des groupes de pression à l'extérieur de l'organisation. Même dans les situations où l'on escompte des effets positifs pour eux, ils risquent de subir les contrecoups de la période de transition : ralentissement du service, nouveau type de relation, maîtrise imparfaite des nouvelles façons de faire, nouveau langage, nouvelles procédures, etc. L'entourage sera donc lui aussi légèrement en déséquilibre, et ses réactions vont constituer une source de pression supplémentaire qui pourra nuire au succès de l'opération de changement.

11.4. Les principes généraux et moyens pour gérer le changement

Pour favoriser une période de transition qui soit la moins turbulente et la plus productive possible, les gestionnaires doivent veiller aux trois points qui viennent d'être relevés, à savoir les difficultés liées au processus vécu et au contenu ainsi que les réactions de l'entourage.

En fait, ils doivent adopter une approche de gestion différente de celle qui est utilisée dans les activités courantes. De façon générale, il s'agit d'un style comportant à la fois :

- beaucoup de détermination quant aux résultats à atteindre, mais aussi beaucoup de sensibilité aux réactions des membres de l'organisation ;
- beaucoup de souplesse dans les ajustements à faire, mais aussi beaucoup de fermeté quant à l'importance d'aller de l'avant ;
- beaucoup d'attention aux efforts consentis, mais aussi beaucoup de persévérance pour relancer continuellement l'énergie de changement.

Pour mettre en pratique ce style efficacement, nous suggérons les mesures suivantes :

- recueillir périodiquement les réactions des clients, des destinataires, des pairs et des partenaires ;
- faire des évaluations périodiques ;
- déceler rapidement les dysfonctions et les corriger ;
- diffuser régulièrement des rapports d'étapes ;
- rappeler continuellement les objectifs du changement aux destinataires ;
- ajuster le rythme d'implantation aux circonstances ;
- assurer une présence régulière ;
- avoir des échanges directs avec les destinataires aussi souvent que possible ;
- accorder de l'attention aux personnes et souligner les efforts ;
- apporter du soutien (présentations, *coaching*, formation) pour maintenir l'énergie.

11.5. Des mécanismes de gestion du changement pendant la transition

Le style adopté par la gestion doit être appuyé et complété par un certain nombre de mécanismes ou de moyens qui serviront à soutenir les efforts.

11.5.1. Un groupe de suivi/pilotage du changement

L'expérience montre qu'en général les mécanismes de coordination usuels ne suffisent pas pour assurer la gestion efficace d'un changement. Ces mécanismes sont très sollicités par les exigences du quotidien, laissant peu de temps pour faire le point sur la progression du changement.

On a avantage à mettre en place (de façon provisoire) un « groupe de suivi » ou « groupe de pilotage » du changement, dont le rôle consistera à recueillir de l'information sur l'état d'avancement, sur les succès et sur les difficultés qui se présentent ainsi que sur les réactions de tous les acteurs impliqués. Afin de constituer un microcosme de l'organisation, le comité devrait être constitué de membres de divers services et de différents niveaux hiérarchiques. Il relèvera du gestionnaire qui pilote le changement et lui fera régulièrement part de sa lecture de la situation ainsi que de ses recommandations pour faciliter la poursuite des opérations.

11.5.2. Des opérations de « bilan provisoire »

Un autre mécanisme souvent très utile consiste à réaliser des « bilans provisoires » avec les destinataires, les clients, les pairs et les partenaires (ceux-ci incluant les syndicats). Pour être efficaces, ces opérations doivent être simples et brèves. On invite les gens à relever autant les aspects qui vont bien que ceux qui demandent des corrections.

11.5.3. Des moyens d'information spéciaux

Durant une période de changement, les gens ont énormément besoin d'une information de qualité et venant de source fiable. S'ils en manquent, ils auront tendance à laisser courir leur imagination... De plus, l'instabilité d'une période de changement crée un milieu très favorable aux rumeurs de toutes sortes, dont les effets peuvent être nuisibles à l'opération en cours. Pour ces raisons, il est souvent utile de se doter d'un mécanisme simple et régulier pour diffuser de l'information sur l'état d'avancement des travaux, sur les résultats atteints à ce jour et sur les mesures adoptées pour soutenir les efforts.

11.5.4. Des rencontres éclair

À tous les niveaux de l'organisation, les gestionnaires devraient tenir avec leurs collaborateurs des rencontres éclair (15 à 20 minutes), afin de prendre le pouls des gens et de fournir les informations nécessaires pour faciliter l'intégration du changement. Ces rencontres, plutôt informelles, devraient être assez fréquentes au début de la démarche, pendant les périodes de « désintégration » et de « reconstruction ». On pourra espacer quand on sentira que les destinataires se sont approprié le changement.

11.5.5. Des activités de soutien

Autant pour maintenir l'attention que pour fournir les moyens d'intégrer le changement, on a avantage à offrir aux destinataires et aux gestionnaires une série d'activités liées au changement. On doit surtout penser à des activités de ressourcement immédiatement utilisables par les gens visés (de nouvelles compétences, les effets d'un changement sur les personnes, des moyens pour gérer son stress, etc.).

11.5.6. De la supervision individuelle

Un certain nombre d'individus, de toutes les catégories d'emplois, sont susceptibles d'avoir de la difficulté à intégrer correctement les changements déjà mis en place. Pour ceux-là, il est souvent utile de recourir à de la supervision individuelle, pour leur fournir l'orientation et le soutien dont ils ont besoin pour intégrer ces changements.

11.5.7. Des séances de résolution de problèmes

On peut périodiquement regrouper les personnes ayant à travailler ensemble pour des séances de résolution de problèmes. De telles rencontres permettent d'introduire des ajustements sur le champ, en présence des personnes, et empêchent qu'une surcharge de tension ne se produise.

11.5.8. De la délégation

Pendant l'implantation, toutes sortes d'aménagements, d'ajustements, de correctifs seront introduits. Pour en assurer un suivi adéquat et éviter que l'agent de changement ou le gestionnaire responsable ne porte tout sur ses épaules, celui-ci devrait prendre l'habitude de confier des mandats à ses collaborateurs et leur demander de faire rapport périodiquement. Cela contribuera en plus à développer une équipe autour de l'intervenant.

11.5.9. Des outils de collecte d'information

Si on s'engage dans un changement d'une certaine importance, il est souvent utile de se doter de quelques outils de collecte d'information auprès des clients, des destinataires, des pairs et des partenaires. Il est habituellement avantageux de faire circuler rapidement les informations recueillies au moyen de ces outils. En procédant de la sorte, on accroît le sens du partenariat et on maintient l'attention centrée sur les transformations en marche.

11.6. Les activités de contrôle et d'évaluation

Tout au long de l'étape d'implantation, alors que le gestionnaire gère la transition telle qu'elle est vécue au quotidien, des activités de contrôle et d'évaluation viendront s'inscrire dans la démarche planifiée pour en mesurer les progrès.

Les activités de contrôle vont se traduire par des vérifications pour savoir si ce qui devait être fait a été fait (si le plan d'action est respecté) de façon à procéder si nécessaire à des ajustements de rythme ou de méthodologie pour faciliter l'implantation. L'un ou l'autre des mécanismes mentionnés ci-dessus pourra être utilisé.

Les activités d'évaluation se traduiront par des actions qui permettent de savoir dans quelle mesure on se rapproche des objectifs (évaluation formative), ou si les objectifs ont été atteints dans le cas d'une évaluation finale (évaluation sommative). On peut imaginer toutes sortes de méthodologies d'évaluation, des plus subjectives jusqu'aux plus rigoureuses. L'important c'est d'avoir des outils, comme ceux dont nous avons parlé précédemment, pour mesurer l'impact réel des interventions en rapport avec les résultats recherchés. En fait, qu'elle soit continue ou finale, l'évaluation constituera une façon de refaire régulièrement le diagnostic et ainsi d'être continuellement sensible aux modifications qui se produisent dans le système.

Ce que nous venons de dire suggère que le plan d'action qui a été préparé pour nous guider pendant la transition n'est pas établi de façon rigide et immuable. Il faut se rappeler que nous avons déjà présenté le plan d'action comme une hypothèse de travail bien documentée qui demande à être validée dans l'action plutôt que comme un corridor étroit qui ignorerait l'environnement en évolution.

On pourrait appeler « activités de régulation » ces activités qui consistent à s'assurer que les obstacles à l'implantation du changement sont identifiés et traités avec les gens concernés, au fur et à mesure qu'ils se manifestent pendant la transition.

11.7. L'appropriation du changement

Pour qu'un changement s'introduise de façon durable et soit intégré aux habitudes, il faut que les destinataires se l'approprient. On espère toujours qu'ils le feront le plus tôt possible ; en général, c'est là une illusion. En effet, il est ambitieux de croire que des gens qui n'ont pas demandé de changer s'approprieront rapidement les idées de quelqu'un d'autre. L'expérience montre, au contraire, qu'il faut habituellement attendre un certain temps avant que les destinataires soient réceptifs au changement et encore plus longtemps pour qu'ils en deviennent « propriétaires ». Cela a une conséquence très importante :

les initiateurs du changement devront accepter de le porter presque tout seul pendant la plus grande partie de la phase de transition !

C'est pourquoi les initiateurs doivent en faire une gestion très active et assurer un suivi constant, sinon les destinataires trouveront des raisons pour s'en désintéresser, pour y échapper ou pour le neutraliser. Rappelons-nous qu'en matière de changement, les habitudes anciennes restent longtemps incrustées et qu'elles auront tendance à réapparaître subtilement à la moindre occasion.

CONCLUSION

Dans les pages qui précèdent, nous avons voulu présenter différents éléments pour mieux comprendre la problématique du changement dans les systèmes organisationnels ainsi qu'une démarche systématique pour préparer des interventions de changement.

À la lumière de ce qui a été dit jusqu'à maintenant, nous aimerions dégager six conditions qui, si elles sont présentes, maximiseront les chances de succès d'une entreprise de changement organisationnel planifié :

1. Les destinataires perçoivent le problème comme assez prioritaire et insatisfaisant pour être motivés pour une intervention.
2. Il y a suffisamment d'énergie disponible chez les destinataires et les agents de changement pour entreprendre et mener une intervention à terme.
3. L'agent de changement a, ou peut obtenir, le pouvoir ou les moyens de réaliser le changement ; les destinataires le perçoivent.

4. Les avantages du changement sont perçus et valorisés par les destinataires.
5. Les avantages associés au changement sont perçus par les destinataires comme étant supérieurs aux bénéfices perdus dans la situation actuelle, additionnés aux désavantages qui viendront avec le changement.
6. L'agent est capable de procurer aux destinataires la sécurité et le support dont ils auront besoin pour traverser la période du changement.

Plus ces conditions seront réunies dans l'environnement où l'on veut implanter un changement, plus il sera facile d'y connaître le succès. Si elles devaient être absentes, en tout ou en partie, l'agent de changement aura sûrement avantage à faire en sorte qu'elles émergent, sinon sa tâche risque d'être particulièrement ardue.

Autant une expérience de changement peut être une source de chaos et de frustration, autant elle peut constituer une expérience enthousiasmante et riche en apprentissages de toutes sortes. Mais pour que cela soit possible, il faut non seulement que le projet soit géré adéquatement, mais aussi qu'on se donne la peine d'en cueillir les fruits pour les réinvestir à la prochaine occasion. Comme c'est le cas pour les individus, l'expérience d'un changement significatif dans une organisation fournit une occasion unique de croissance et d'apprentissage, en dépit, pour ne pas dire au-delà, des obstacles rencontrés !

Avant de terminer, ajoutons un mot sur la gestion en situation de crise. On entend beaucoup de gestionnaires utiliser le terme de « crise » pour parler des situations difficiles qu'ils rencontrent dans leur organisation.

Il est vrai que bon nombre d'organisations publiques et privées font face, à un moment ou l'autre, à de véritables situations de crise qui doivent être gérées comme telles. Toutefois, il semble que certains gestionnaires abusent de cette notion. Ils traitent toutes les situations difficiles comme des situations de crises. En fait, ils ont tendance à confondre leurs inquiétudes, et parfois leur panique face à l'instabilité, avec les caractéristiques d'une véritable crise qui mettrait en jeu la survie même de l'organisation. Ils font alors appel à des approches de gestion qui non seulement sont inadaptées, mais qui contribuent de plus à déstabiliser davantage l'organisation. Quelques habiletés nouvelles en gestion des transitions aideraient l'organisation à maintenir le cap et à moindres frais.

Il faut éviter justement de paniquer à la moindre perturbation, mais reconnaissons quand même que la conjoncture générale actuelle est suffisamment instable pour que l'on ait avantage à mettre en place une organisation active, dynamique, capable de s'ajuster aux modifications qui lui seront fréquemment demandées. Il serait regrettable de procéder à un changement, avec toute l'énergie qu'il faut y déployer, pour ensuite se hâter à stabiliser complètement l'organisation.

Pourquoi ne pas développer un nouveau type d'organisation qui dispose des compétences nécessaires pour être capable de vivre en « état de changement » durant une période prolongée ? On parle de plus en plus d'*organisations intelligentes*. Au-delà des modes, il s'agit là d'organisations qui font un effort évident pour que leurs membres demeurent toujours attentifs aux changements qui s'annoncent dans l'environnement et qu'ils puissent réinvestir les résultats des expériences passées dans l'amélioration continuelle de l'organisation. Cette attitude proactive est un excellent moyen pour se prémunir contre les « crises ».

Il y a place pour des organisations qui cherchent à apprendre et qui réinvestissent les apprentissages pour maintenir le dynamisme et le sens de l'innovation. L'expérience montre que les organisations qui maîtrisent l'art de gérer un certain désordre *créateur*, sans pour autant verser dans l'anarchie, sont plus productives, plus intelligentes, plus équilibrées et s'adaptent mieux aux changements.

ANNEXE
ESQUISSE D'UNE DÉMARCHE DE CHANGEMENT

La démarche qui suit énumère une série d'activités qui doivent habituellement être exécutées quand on prépare une entreprise de changement. Bien que ces activités soient présentées selon une séquence ordonnée, il faut noter que cette séquence n'a pas la prétention d'être logique et immuable. En fait, elle résulte davantage d'un effort d'organisation minimal aux plans chronologique et méthodologique. Ainsi, la démarche présentée ne l'est qu'à titre de suggestion et, dans chaque situation, il faudra voir à l'adapter aux besoins.

En plus, les diverses activités qui composent la démarche sont le plus souvent en interaction entre elles. Aussi est-il important de souligner que ces activités ne seront à peu près jamais « fermées », car elles devront être modifiées et améliorées, tout au long de la démarche de planification et d'exécution.

I- Les étapes d'une démarche de changement

Rappelons qu'une démarche de changement peut habituellement être divisée en quatre étapes :

1. Le diagnostic de la situation (D)
2. La planification des actions (P)
3. L'exécution du plan d'action (EX)
4. L'évaluation des résultats (EV)

II- La démarche de changement

(Les lettres entre parenthèses indiquent à quelle étape appartient l'activité.)

1. Cerner et décrire la situation insatisfaisante qu'on veut changer (D).
   - Quelles sont les manifestations du problème ?
   - Quels sont les effets de cette situation ?
   - Qui vit cette insatisfaction ?
   - Par qui est-elle perçue comme étant insatisfaisante ?
   - Quelle est l'origine de cette situation ?
2. Décrire la situation qui serait souhaitable (D).
   - Soyez le plus opérationnel possible.
   - Par qui est-elle désirée ?
   - Qui avantagerait-elle ?
   - Qui désavantagerait-elle ?
3. Sur quelles(s) source(s) de changement peut-on s'appuyer ? (D)
4. Quelles énergies pourraient être mobilisées chez les destinataires pour enclencher le changement ? (D)
5. Quels sont les différents systèmes et sous-systèmes concernés par le changement envisagé ? (D)
6. Appliquer la méthode des champs de force de Lewin (D).
   - Faire la liste des forces restrictives et motrices qui agissent sur la situation.
   - Déterminer les forces les plus importantes qui agissent sur la situation.
7. Choisir les forces sur lesquelles on peut agir (D).
8. Choisir les forces sur lesquelles on veut agir (P).
9. Définir les objectifs opérationnels de l'entreprise de changement (P).

10. Organiser les objectifs entre eux, de façon à faire ressortir s'ils sont à court terme, à moyen terme ou à long terme (P).
11. Faire un *brainstorming* pour trouver des moyens d'action pour chacun des objectifs (P).
12. Désigner et décrire les destinataires du changement (D).
    - Préciser si ce sont des destinataires relais ou terminaux.
13. Décrire les relations de pouvoir entre l'agent et les destinataires (D).
14. Établir dans quelle mesure les objectifs de l'agent sont convergents ou divergents par rapport à ceux des destinataires (D).
15. Inventorier diverses stratégies qui pourraient être utilisables et évaluer l'efficacité de chacune (P).
16. Déterminer et analyser les résistances au changement qui sont susceptibles d'émerger (D).
17. Définir les positions à prendre, ou les choix à faire, face à ces résistances (P).
18. Définir la ou les stratégies que l'on veut adopter (P).
19. À partir de l'inventaire des moyens, choisir les moyens d'action qui permettront d'opérationnaliser les stratégies, en tenant compte des caractéristiques de la situation qui ont été définies au préalable (résistances, destinataires, relation de pouvoir, structure des buts, etc.) (P).
20. Définir des critères et des moyens d'évaluation des objectifs de changement (EV).
21. Articuler les moyens d'action dans un plan et y inclure un calendrier (P).
22. Déterminer quelles sont les ressources nécessaires pour exécuter le changement (P).
23. Définir les rôles à exercer dans l'action par l'agent et ses collaborateurs (P).
24. Trouver des mécanismes pour assurer le suivi dans l'implantation du changement (EX).
25. Évaluer constamment les progrès vers les objectifs (EV).

FIGURE A
Exemple d'un tableau-synthèse

Éléments de diagnostic	Objectifs	Échéance	Stratégie	Activités-moyens	Date de réalisation	Résultats	Commentaires
(Forces sur lesquelles on désire agir)	(Objectif(s) spécifique(s))	(Date prévue pour l'atteinte de l'objectif)	(La stratégie que l'on a adoptée)	(Les moyens choisis pour matérialiser la stratégie)	(Date de réalisation de chaque moyen)	(Impact réel produit)	(Analyse de l'intervention)

FIGURE B
Schéma-synthèse sur la démarche du changement organisationnel

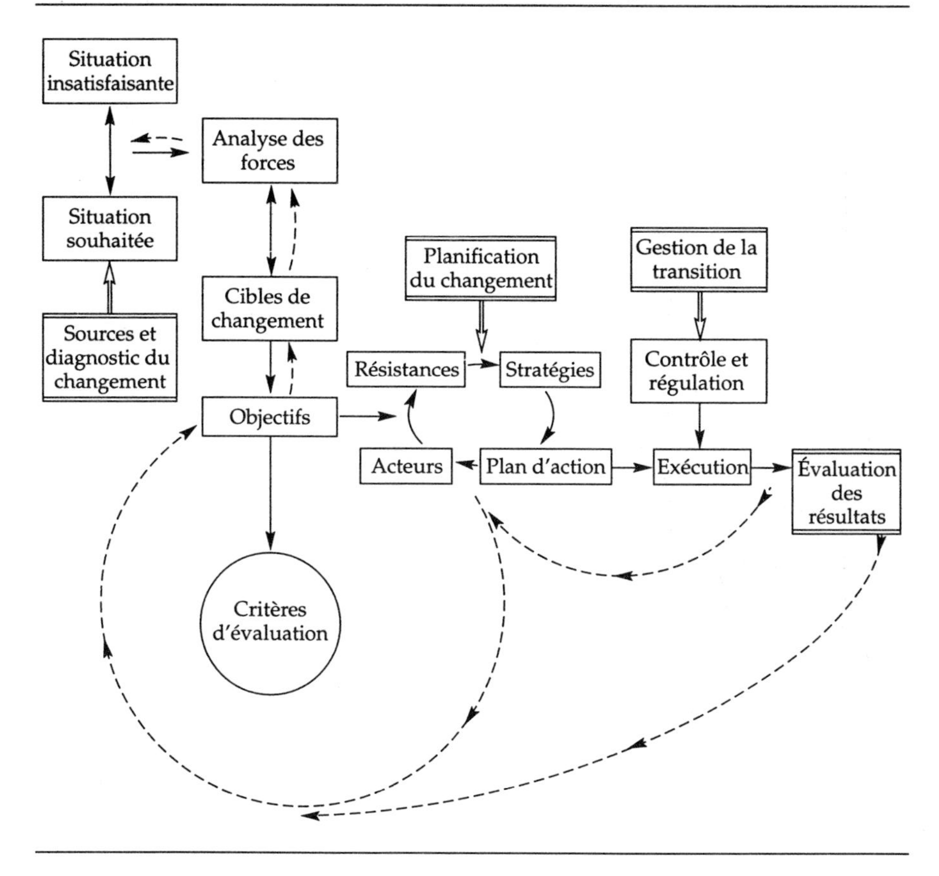

BIBLIOGRAPHIE

ALEXANDRE, Victor. *Les échelles d'attitudes.* Paris, Éditions universitaires, 1971.

ALINSKY, Saul. *Manuel de l'animateur social.* Paris, Éditions du Seuil, 1976.

BECKHARD, R. *Organization Development: Strategies and Models.* Reading, Mass., Addison-Wesley, 1969.

BENNIS, W.G., BENNE, K.D., CHIN, R. *The Planning of Change,* New York, Holt, Rinehart and Winston, 1969.

BLAU, Peter. *Exchange and Power in Social Life.* New York, John Wiley and Sons, 1964.

COLLERETTE, Pierre. *Pouvoir, leadership et autorité dans les organisations.* Québec, Presses de l'Université du Québec, 1991.

COLLERETTE, Pierre et SCHNEIDER, Robert. *Le pilotage du changement, une approche stratégique et pratique.* Québec, Presses de l'Université du Québec, 1996.

COX, Fred M. *et al. Strategies of Community Organization : A Book of Readings.* Itaska, Peacock Publisher lnc., 1974.

EDWARDS, A.L. *Techniques of Attitudes Scale Construction.* New York, Appleton-Century-Crofts, 1957.

EMERY, F.E. *Systems Thinking.* Bunkay, Suffolk, Penguin Books Ltd, 1969.

FISHBEIN, M. et AJZEN, I. *Belief, Attitude, Intention and Behavior.* Reading, Mass., Addison-Wesley, 1975.

FRENCH, W.L., BELL, C.H. *Organization Development.* New Jersey, Prentice-Hall Inc., 1973.

GRAND'MAISON, Jacques. *Nouveaux modèles sociaux et développement.* Montréal, Hurtubise HMH, 1972.

HELLER, K., MONOHAN, J. *Psychology and Community Change.* Illinois, The Dorsey Press, 1977.

HORNSTEIN, Harvey A. *et al. Social Intervention : A Behavioral Science Approach.* New York, The Free Press, 1971.

KIMBERLY, J.R. et QUINN, R.E. *Managing Organizational Change.* San Francisco, Jossey-Bass, 1985.

KRETCH, D. CRUTCHFIELD, R.S., BALLACHEY, EL. *Individual in Society,* New York, Mc-Graw-Hill, 1962.

LEMON, N. *Attitudes and their Measurement.* New York, Wiley, 1973.

LEWIN, Kurt. *Field Theory in Social Science.* New York, Harper, 1951.

LEWIN, K. *Resolving Social Conflits.* New York, Harper, 1948.

LIPPITT, Gordon et LIPPITT, Ronald. *La pratique de la consultation.* Victoriaville, Éditions NHP, 1978.

MEDARD, François. *Communauté locale et organisation communautaire des États-Unis.* Paris, Armand Colin, 1969.

MOHRMAN, A.M. *Large Scale Organizational Change.* San Francisco, Jossey-Bass, 1990.

MUCHIELLI, Alex. *Les sciences de l'information et de la communication.* Paris, Édition Hachette, 1995.

ROCHER, Guy. *Introduction à la sociologie générale, Tome 3 ; le changement social.* Montréal, Hurtubise HMH, 1969, p. 313-562.

ROCHER, Guy. *Talcott Parsons et la sociologie américaine.* Paris, Presses universitaires de France, 1972.

SAINT-ARNAUD, Yves. *Les petits groupes, participation et communication.* Montréal, Les Presses de l'Université de Montréal – Les Éditions du CIM, 1978.

SAINT-ARNAUD, Yves. *La personne humaine.* Montréal, Les Éditions de l'Homme, 1974.

SCHNEIDER, Robert. *La gestion par la concertation.* Montréal, Les Éditions Agence d'Arc, 1987.

SHAW, M.E. et WRIGHT, J.M. *Scales for the Measurement of Attitudes.* New York, McGraw-Hill, 1967.

TESSIER, Roger et TELLIER, Yvan. *Changement planifié et développement des organisations.* Montréal, EPI – Les Éditions de I'IFG, 1973.

TESSIER, Roger et TELLIER, Yvan. *Changement planifié et développement des organisations.* Québec, Presses de l'Université du Québec, 1990. 8 tomes.

TRIANDIS, H.C. *Attitudes and Attitude Change.* New York, Wiley, 1971.

VILLENEUVE, S. *Gestion de la transition : suivi du processus de changement dans le cadre d'un projet.* Mémoire de maîtrise en gestion de projet. Université du Québec à Hull, 1994.

VON BERTALANFFY, L. *Théorie générale des systèmes.* Paris, Dunod, 1973.

WATSON, G. *Concepts for Social Change.* Washington, H.T.L., 1967.

COLLECTION
ORGANISATIONS EN CHANGEMENT

Sous la direction de Yvan Tellier
et Roger Tessier

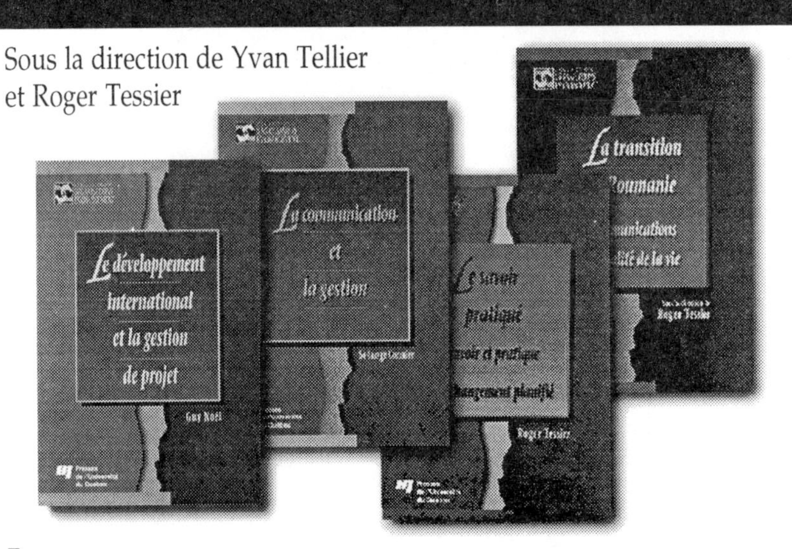

La collection *Organisations en changement* accorde la priorité à la diffusion d'ouvrages consacrés aux approches participatives du changement planifié, tels le développement organisationnel, les stratégies «qualité», le design sociotechnique et la formation aux habiletés démocratiques de base.

Cette collection s'adresse aux cadres, professionnels et gestionnaires des opérations liées aux ressources humaines et au développement organisationnel des secteurs, qu'ils soient issus des secteurs privé, public ou parapublic. Ces ouvrages intéresseront aussi les intervenants du milieu de la consultation alors qu'ils pourront devenir un atout précieux pour favoriser le perfectionnement dans leur pratique.

Le développement internationnal et la gestion de projet
Guy Noël, 1996, 310 pages, ISBN 2-7605-0854-4, **30 $**
La communication et la gestion
Solange Cormier, 1995, 258 pages, ISBN 2-7605-0810-2, **27 $**
Le savoir pratiqué • Savoir et pratique du changement planifié
Roger Tessier, 1996, 148 pages, ISBN 2-7605-0818-8, **24 $**
La transition en Roumanie
Sous la direction de Roger Tessier, 1995, 354 pages, ISBN 2-7605-0804-8, **35 $**

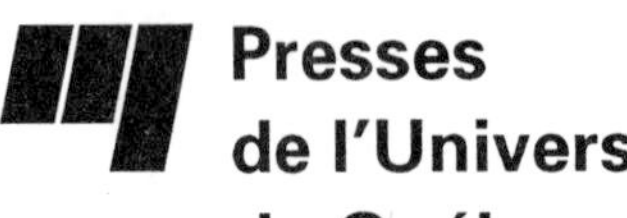

Commandez à:
Distribution de livres Univers
845, Marie-Victorin
Saint-Nicolas (Québec) G7A 3S8
Téléphone: (418) 831-7474
1-800-859-7474
Télécopieur: (418) 831-4021

Consultez notre catalogue sur Internet: http://www.uquebec.ca/puq